예술치료 핸드북

예술치료 핸드북

발   행 | 2024년 2월 26일
저   자 | 박진희 유민희
펴낸이 | 한건희
펴낸곳 | 주식회사 부크크
출판사등록 | 2014.07.15.(제2014-16호)
주   소 | 서울특별시 금천구 가산디지털1로 119 SK트윈타워 A동 305호
전   화 | 1670-8316
이메일 | info@bookk.co.kr

ISBN | 979-11-410-7363-3

www.bookk.co.kr
ⓒ 박진희 유민희 2024
본 책은 저작자의 지적 재산으로서 무단 전재와 복제를 금합니다.

예술치료 핸드북

박진희 유민희 지음

머리말

처음에 책을 쓰고자 마음을 먹었던 이유는 대학원과 학부 수업 시간에 교재가 필요했기 때문입니다. 예술치료는 다양한 형태의 예술을 통해 개인의 심리적, 정서적, 육체적 고통을 완화하고, 성장과 발전을 촉진하는 데 중요한 역할을 합니다. 이러한 예술치료는 그 영역이 너무나도 광범위하기 때문에 예술치료에 첫발을 디딘 이들에게 이 책은 아마도 드넓은 바다의 끄트머리에서 손가락으로 바닷물을 찍어 바다의 짠맛을 느껴본 정도에 비할 수 있을까 생각합니다. 그만큼 광범위한 내용에서 예술치료에 입문하시는 분들을 위해 예술치료에 대해 쉽게 전달하고자 예술치료의 개념을 중심으로 축약하여 정리하였습니다. 예술치료의 기본 개념부터 다양한 예술형식의 단일 예술치료를 다루며, 독자들에게 이를 적극적으로 경험하고 이해하는 기회를 제공하고자 합니다. 이 책이 예술치료를 공부하고 이를 실제 현장에서 적용하려는 학생들, 전문가들, 그리고 이 분야에 관심을 가지는 모든 이들에게 도움이 되었으면 좋겠습니다.

저자 박진희 유민희

차 례

제 1장 예술치료

1. 예술치료 개념   1
2. 예술치료의 기원과 발전   5
3. 예술치료의 심리 이론적 배경   12
   1) Freud의 정신분석이론   13
   2) Jung의 분석심리학   15
   3) Rogers의 인본주의 심리학   16
4. 예술치료의 치료미학적 접근   18
5. 예술치료 특성 및 효과   29
6. 예술치료에서의 예술   40
   1) 이미지와 시각예술   40
   2) 소리   42
   3) 읽기와 쓰기   43
   4) 움직임(몸짓)   45
7. 예술치료의 치료적 관계   47

제 2장 단일 예술치료

1. 미술치료　　　　　　　　　　　　　　55
　　1) 미술치료의 개념　　　　　　　　55
　　2) 미술치료의 등장　　　　　　　　59
　　3) 미술치료에서 미술의 역할　　　　64
2. 음악치료　　　　　　　　　　　　　　70
　　1) 음악치료의 개념　　　　　　　　70
　　2) 음악치료의 모델과 치료적 음악 경험　73
　　3) 음악치료 과정　　　　　　　　　78
3. 문학치료　　　　　　　　　　　　　　80
　　1) 문학치료의 개념　　　　　　　　80
　　2) 문학치료의 영역　　　　　　　　83
4. 무용동작치료　　　　　　　　　　　　92
　　1) 무용동작치료의 개념　　　　　　92
　　2) 무용동작치료의 특성과 효과　　　95
　　3) 무용동작치료의 주요 이론　　　　100
5. 연극치료　　　　　　　　　　　　　　104
　　1) 연극치료의 개념　　　　　　　　104
　　2) 연극치료의 특성과 효과　　　　　107
　　3) 연극치료의 진행 과정　　　　　　110
　　4) 연극치료의 주요 이론　　　　　　112

참고문헌　　　　　　　　　　　　　　　118

제 1장 예술치료

1. 예술치료 개념

  예술치료(Arts therapy)는 '예술'과 '치료'의 합성어로 '예술'이라는 방법과 '치료'라는 목적을 가진다. 예술치료의 개념과 목적, 범위와 방법은 '예술'과 '치료'를 어떻게 정의하느냐에 따라 달라진다. 예술치료의 개념은 고정된 것이 아니라 시대와 상황에 따라 계속 변화해 가기 때문에 명확하게 합의된 단일한 개념은 존재하지 않으며 특정한 내용과 방법만을 예술치료의 범주에 속한다고 규정지을 수 없다(정광조, 이근매, 최애나, 원상화, 2019). 이에 '예술'과 '치료'에 대한 용어의 이해를 통해 '예술치료(Arts therapy)'의 개념을 논의하고자 한다.

  예술은 사회적 · 역사적 조건을 배경으로 하여 발생하며 인간의 사회생활 속에서 발생된 산물로 인간의 역사와 문화, 삶을 대변하고 있다(한국문화예술위원회, 2013). 인간의 삶에서 예술과 표현은 명확히 구분되지 않는데 그 원인 중 하나는 예술이라는 말의 어원인 고대 그리스어 테크네(techne)의 의미 때문이다(Forestier, 2013). 테크네는 원래 기술의 의미를 지닌 어휘로 특정 사물을 제작하는 기술 능력을 가리켰다. 플라톤의 정치론에서 보면 신에게 버려진 인간은 파멸에 이를 수밖에 없었는데 이러한 파멸에서 인간을 구하고자 신들은 인간에게 살아남을 방법을 알려주었는데 그것이 바로 예술이었다고 한다(김익진, 2013). 여기에서 말하는 예술은 오늘날 일반적으로 예술이라고 일컫는 활동도 포함되지만, 학문이라는 활동과 함께 기술이라 칭하는 인간의 제반 활동을 통칭하는 테크네로 정치 기술, 직조 기술, 말하는 기술 등을 의미한다(홍은주, 박희석, 김영숙, 2017). 인간은 이러한 활동을 통해 스스로 돌보았고, 돌봄 혹은 치료라는 말은 인간의 안녕을 도모하는 활동에서 시작되었으며 이 시대부터 예술이라는 말과 치료라는 말을 공유하게 되었는데 시간의 흐름에 따라 예술과 치료라는 말의 의미가 광범위해 지면서(김익진, 2013; Forestier, 2013) 이후 각각의 쓰임새는 다양해지기 시작했다.

현재 사람들이 일반적으로 이해하고 있는 예술의 개념은 18세기에 와서야 비로소 정립되었는데 예술(art)이라는 용어의 사전적 의미는 "다른 사람들과 공유할 수 있는 심미적 대상, 환경, 경험을 창조하는 과정에서 기술과 상상력을 동원 발휘하는 인간의 활동과 그 성과"(홍은주 외, 2017, p.10)로 요약할 수 있다. 예술은 말을 하는 행위를 통해서는 접근이 불가능한 방식을 사용하여 감정을 표현하고 구체화하기 때문에 자연스럽게 새로움에 대한 근원으로 예술표현에 집중하게 된다(McNiff, 2014). 예술의 감각적, 감정적, 지적인 요소들은 인간의 시각, 청각, 촉각과 감정을 자극하여 영혼과 신체에 영향을 미친다.

예술의 감각성은 즉각적인 전달력으로 인해 지성적인 사고보다도 무의식적인 본능과 감정에 접근할 수 있도록 하며, 창작을 통해서 자기도 의식하지 못했던 내면의 무의식적 자기표현에 대한 감정 자극과 공감을 불러일으키고 정화를 가져온다(조정옥, 2019). 예술은 인간 존재의 근본적인 현상으로 간주되는데(Levine & Levine, 2013), 다음의 두 가지 내부 연결적 관점에 의해 접근할 수 있다. 하나는 주제와 연결되어 있고 또 다른 하나는 예술의 표현양식과 연결되어 있다는 것이다. 주제는 인간 존재의 해석된 상징성으로, 표현양식은 개인의 창조성을 표현하는 것으로 예술 활동에서 생성되는 형태, 모양, 작품으로 나타나며 이는 개인의 주제에 대한 느낌을 드러내게 된다(Simon, 2006). 예술은 예술적 형식, 양식을 통해 시각적 상상이 표현을 만들도록 격려하며 창조적 과정으로서 풍부한 근원을 끌어올릴 수 있도록 한다 (Wadeson, 2008).

세계보건기구(WHO)는 건강이란 단지 질병이 없거나 허약하지 않은 상태가 아니라 신체적·정신적·사회적으로 완전한 상태라고 정의하였는데 '영적으로 평온한 상태'를 덧붙이면서 건강의 개념을 기존의 신체 중심에서 마음, 사회적 생활 영역, 영적인 영역까지 포함하며 확장하였다(홍은주 외, 2017). 이는 건강하기 위해서는 신체뿐 아니라 정신적, 사회적, 영적으로 건강한 상태를 유지해야 한다고 보는 것이다. 한편 '치료(Therapy)'의 사전적인 의미는 질병을 고치고 낫게 하는 것이지만 예술치료에서는 일반 의학에서 말하는 'cure'로서 증상을 제거하거나 완전히 사라지게 하는 의미가 아닌 사람의 행동과 심리상태의 변화에 초점을 두고 있다(김선명, 김준형, 2021). 이 개념은 고대부터 치료를 인간이 완전하고 건강한 삶을 영위할 수 있게 하는 행위로 여겼던 것과 유사하며 현대의 예술 치료가 지향하는 목표 중 하나이다(Forestier, 2013).

예술치료에서 '치료'는 '보조하다', '도와주다'의 의미를 갖는 용어로 내담자가 가진 문제에 초점을 두어 내담자의 힘든 상황을 극복하도록 돕는 적극적인 의미에서 '치료', 즉 임상적 의미로 해석될 수 있다(김선명, 김준형, 2021; 홍은주 외, 2017). 과학주의와 실증주의에 바탕을 둔 의학은 신체의 증상만을 다루며, 확증할 수 있는 치료의 증거를 요구한다. 그러나 예술치료에 서는 몸과 마음, 사고의 부정적 증상이 통합적이라고 보며 심리적, 영혼적, 정신적 즉, 마음의 부정적인 상태가 완화되는 것이 내담자의 마음속에서 현상적으로 나타날 수 있다면 그것은 분명히 치료라고 정의할 수 있다(조정옥, 2019). 창조적인 것에 이르고 경험하는 것으로부터 무언가를 만들어내는 힘은 정신건강을 유지하는 데 중요하다. 예술치료는 의학적 기대치를 능가하는 어떠한 것이 심리 속에 내재해 있다. 이것은 바로 신체 건강을 유지할 수 있도록 하는 '자기 치유(self healing)'와 무의식적인 '살려고 하는 의지(will to live)'라고 할 수 있다(Simon, 2006). 예술은 단지 예술적 행위를 하는 과정을 넘어 점진적으로 지속 가능한 변화를 일으키며 자신을 일깨워 주는 진실된 치료 도구이다(Halprin, 2006).

2. 예술치료의 기원과 발전

아주 오래전부터 인간이 고통을 받는 곳에는 예술의 치유적 힘이 요구되어왔으며, 예술이 중심이 되는 주술사들의 치료적 행위가 있었다(Knill et al., 2011). 현재 존재하는 예술치료의 원형은 고대사회의 제례 의식에서 찾아볼 수 있다. 고대의 제례 의식은 근원과의 합일, 영혼 치료를 목표로 하는 엄숙하고 신성한 종교의식으로 음악과 춤, 가면과 의상, 주술사의 주문 등 예술치료의 주요 예술 양식을 사용하였는데 이는 예술치료의 원형이라고 볼 수 있다(정광조 외, 2019). 고대사회에서 예술은 문자를 사용하기 이전부터 존재하던 치료 방법으로 토착 사회의 문화에 바탕을 두어 인간의 삶을 애도하고, 기념하고자 주술사나 무당이 가면을 쓰고 북을 두드리며 춤을 추고, 모래로 그림을 그리며 심상을 떠올리는 의식을 치렀다. 상상 속 존재에 대한 염원, 미래에 대한 두려움과 공포로부터 자신을 보호하고 위안을 얻기 위한 목적으로 작품을 창조하고, 이러한 상징 과정을 통해 자신과 외부 세계와의 관계를 표현한 것이다(Atkins et al., 2008; McNiff, 2014). 고대사회의 예술적 행위처럼 인류의 역사와 문화를 관통하여 자신을 표현하는 양상은 철학적, 정신적, 과학적, 신체적 관점을 서로 분리하지 않았고 통합적이었다(Atkins & Williams, 2010). 인간에게 있어 예술은 영적인 깨달음을 얻기 위한 방법을 명확하게 하면서 신체적, 정서적, 정신적 차원을 확인하고 통합하는 방법을 가르쳐 주는 체화된 '삶에서 예술로의(life-art)' 과정인 것이다(Halprin, 2006). 모더니즘 이전에는 신체와 정신은 서로 구별될 수 없는 것으로 정신도 물질적인 형태를 띠고 있고, 신체에도 영혼이 깃들어 있는 것으로 여겼다. 신체와 정신을 분명하게 구분하여 다루는 것을 불가능하다고 여겨져 왔기 때문에 신체적, 정신적 측면 모두 치료적 행위에 포함되었으며 물리적 측면만을 고려한 치료적 실천은 인류학적 관점에서 보면 극히 최근의 일이라 할 수 있다(이모영, 2010; Knill et al., 2011).

과학적, 이성적, 기계적 관점의 가치를 중시한 근대화 과정에서 형성된 사고의 틀은 이성과 감성, 마음과 신체, 정신과 물질을 이분법적으로 분리하며 감각보다는 관념을 우위에 두어 과학의 합리성과 논리, 이성, 실증을 강조하며 예술과 삶, 예술과 치료를 분리시켰다. 이후 새로운 사고를 가진 학자들이 등장하면서 예술은 단순히 미적인 것만을 목적으로 하지 않으며 예술의 창조성, 표현성, 감각성은 삶과 분리될 수 없음을 재정의하였다. 이들은 예술이 인간 삶의 핵심적 욕구를 표현하고 충족시키는 데 기여함을 강조하며 형식적 관념에 얽매이지 않는 새로운 미학의 관점을 광범위하게 적용시키고자 하였다(임용자, 2004). Mees(2004)는 근대적 사고의 합리성과 보편성에 의해 분리되었던 예술, 종교, 과학을 다시 통합하여 새로운 삶의 방식으로 인간을 회복하고 치유할 수 있다고 주창하였다. 또한, 예술치료를 통해 이러한 통일성을 다시 이룰 수 있는 가능성이 있다며 이에 대해 신뢰와 용기를 가져야 함을 다음과 같이 전한다.

예술적인 것, 그것은 인간 안으로 스며들어

인간을 악기로 만들며, 정신을 가득 채우고,

인격체로 만드니,

이렇게 적절한 방식으로 인간은 땅과 결합할 수 있다.

예술적인 것, 그것은 인간 안에서

언짢은 것들을 치료하며,

정신은 인간의 구석구석을 비추고,

모양새를 새롭게 하고, 인간의 몸을 빛으로 가득 채우며,

그리고 적절한 방식으로 자신의 삶을 영위할 수 있다.

예술적인 것, 그것은 인간 안에서

자아의식으로 향하는 다리를 만들며,

이 세상에서 사는 동안 분별력을 통해 성숙해지고,

적절한 방식으로 근본으로 향하는 길을 재발견할 수 있다

(Mees, 2004, p. 139)

현대의 예술치료는 1940년대부터 단일 예술 장르의 고유한 특성과 원리에 따라 독립적으로 연구되어 발전되어 왔다(이수현, 2019). 예술치료 중 음악치료와 무용치료가 1950년대 초에 학회 창립을 선두로, 미술치료는 1960년대, 연극치료는 1970년도 후반에 생겨났

다. 예술의 통합을 활용한 심리치료의 적용 범위가 명백하게 확대되고 복잡해져 가면서 1970년대 이후 예술치료의 분야는 괄목할 만한 성장을 하게 된다. 1960년대에서 1970년대까지는 예술가, 심리학자, 교육자, 철학자, 과학자들이 상호통합적 시도의 접근 속에서 연구의 범위와 깊이를 더해 가며 실험하고 탐구하는 시기였다(임용자, 2004).

예술 매체별로 전문화된 발전 과정에서 예술 양식 간의 통합적 시도가 점진적으로 이루어졌는데, 예술치료의 '통합적 접근(Integrating the Arts in Therapy)'이라는 용어는 McNiff, Knill, Canner와 동료들에 의해 처음 사용되기 시작하였다(Atkins et al., 2008; Atkins & Williams, 2010). McNiff는 미국의 레슬리 대학에서 Knill, Canner, McKim 등 여러 사람과 미술치료, 독서치료, 무용치료, 드라마치료, 음악치료, 시치료, 사이코드라마 등 학제 간 협력을 시작하며 하나의 통합적인 방법으로 예술을 치료에 사용하는 선구적인 노력으로 '복합양식 표현치료(Internodal Expressive therapy)'라는 새로운 치료 분야의 토대를 만들었다(이수현, 2019; Atkins & Williams, 2010; McNiff, 2014). 이후 모든 예술은 개별적이면서 통합적인 것으로 예술의 양식이 전환되거나 다른 예술의 양식이 동시에 표현되는 '표현예술치료(Expressive Arts Therapy)'라는 용어가 더 포괄적이고 완전한 명칭으로 사용되기 시작했다(McNiff, 2014). 치료를 위해 모든 예술을 동원하되 단순히 섞거나 합치는 것이 아닌 예술 양식의 공통점을 발견하여 예술 간 경계를 넘나들고자 하였던 것이다.

예술통합의 기반과 시스템을 구축하고자 하였던 Knill은 1980년대 유럽과 북미에 국제 학제 간 공동연구 학교(ISIS)라는 이름으로 훈련 프로그램들의 네트워크 개발하였고, 이러한 훈련 기관들이 세계적으로 확산되면서 유럽대학원에도 표현예술치료 박사과정이 개설되며 국제적인 교육의 장이 마련되었다(Atkins et al., 2008). 1980년 초 미술치료학회의 전 회장이었던 S. Ross가 특정한 예술 양식으로 학문의 범위를 제한할 수 없다고 느껴 미국 미술치료학회를 떠난 후 미국예술가치료사협회(AAAT)를 설립, 후에 국제표현치료학회(NETA)로 명칭을 변경하였다(McNiff, 2009/2014). 이후 1990년대 초 표현예술치료 교환 학회지가 창립되었으며 Spyzer, Levine, Weller, N. Rogers는 국제표현예술치료학회(IEATA)를 설립하였고, 공인표현예술치료사(REAT) 기준을 마련하였다(박혜정, 2018). S. Levine은 1990년대 후반에 '포이에시스: 예술과 커뮤니케이션 학회지(POIESIS:A Journal of Arts and Communication)'를 창안하여 정기간행 학술지로서 예술치료의 개념과 실제 과정을 공유하기 위한 공동체 포럼으로 발전시켜나갔다(Atkins & Williams, 2010; McNiff, 2014). 학문 간의 구분에 대해 불필요하게 경계를 그었던 예술치료 분야의 공동체는 1990년대 이후 다양한 형태의 예술이 통합되고 이를 활용한 심리치료의 적용 범위가 확대되고 복잡해져 가면서 예술의 창조적 표현과 미적 경험을 활용하는 점차 개방적으로 변화해 갔다(McNiff, 2014). 이와 같이 예술치료 학회 및 협회와 같은 학술단체와 전문교육기관의 교육과정을 통해서 예술치료라는 독자적인 영역이 구축됨과 동시에 예술치료 훈련 프로그램의 제도를 마련하고, 전문적인 예술치료사를 양성해 왔다.

국내의 예술치료는 다른 나라에 비해 늦게 시작되었지만 급속하게 성장하였다. 1960년 국립 서울정신병원에서 정신건강 전문가와 작업치료사를 중심으로 예술치료가 부분적으로 시행되었고, 1982년 정신과 의사 및 임상심리사 등 심리치료에 관심이 있는 사람들이 모여 한국임상예술학회를 시작으로 국내에 예술치료가 처음 소개되었다(김선현, 2006). 한국임상예술학회는 미술, 음악, 동작, 시 등 다양한 예술 분야를 활용한 예술치료에 대한 학술적 연구를 시작하였으나 예술치료가 임상 현장에서 국소적으로 활용되던 수준으로 제 역할을 하지 못하였다(원상화, 2009). 1990년대 초반에 들어 본격적으로 예술을 치료의 한 방법으로 인정하기 시작하면서 예술과 의학적 치료 간의 관련성을 연구하고 이를 '예술치료'라고 정의하였다(홍은주 외, 2017). 1990년대 이후 한국음악치료협회와 한국미술치료학회 등 단일 형태의 예술치료 관련 기관 및 학회들이 설립되었으며 1990년대 후반에 이르러서야 예술치료에서의 미술, 음악, 연극, 무용, 시 등의 다양한 예술 매체를 활용한 통합적 접근이 시도되기 시작되어 1999년에 한국표현예술심리치료협회가 창립되었다(김수영, 홍은주, 2019). 이후 2001년 창립된 한국예술치료학회와 2004년 창립된 한국예술심리치료학회를 비롯하여 여러 예술치료 학회를 중심으로 예술치료학의 철학적, 이론적 토대가 마련되었고 임상 현장의 적용 및 효과 등 예술치료 학문의 다양한 연구와 담론이 오고 갈 수 있는 학술대회 개최와 정기적인 학회지 발간 등 공식적인 학술 교류 역시 활발히 진행되고 있다.

한편 2000년에 원광대학교 석사학위과정에 예술치료학과가 개설되면서 이를 기점으로 예술치료 학과가 여러 대학원에 개설되어 예술치료사를 양성하는 교육 기관으로 자리 잡게 되었다. 1980년대 초 국내에 예술치료사 처음 소개되었을 당시와 비교해 보았을 때 예술치료의 기술적 방법론이나 예술치료의 효용성에 대한 충분한 공감대가 형성(김익진, 2013)되어 가고 있고, 학회의 다양한 연구 활동과 교육 프로그램의 체계화 등을 통해 예술치료 분야는 점차 전문화되고 안정되어 가는 추세이다.

예술치료 분야에 종사하는 학자와 실천가들의 공동체인 학회 및 협회를 통해 예술치료란 용어가 소개되고 예술치료사들이 전문성을 갖추기 위해 상호 협력하며 다양한 노력을 기울인 끝에 예술치료는 학문적 분야로 자리 잡아가게 되었으며, 예술치료사를 양성하는 교육 기관이 설립되었다. 특히, 대학과 대학원에 특정 분야의 학문을 가르치는 독립된 학과, 전공이 개설되면서 예술치료 학문의 독자성이 높아지고 있다. 예술치료 전개 과정에서 살펴본 바와 같이 예술치료는 신비롭거나 추상적이고 모호한 개념이 아닌 과학적이고 체계적인 이론이 바탕이 되는 학문적, 전문적 영역이라 할 수 있다. 이처럼 예술치료 분야가 정립되고 정체성이 확립될 수 있었던 것은 예술치료사의 존재와 역할이 컸고 이제 예술치료사는 하나의 직군이 되어 예술치료의 임상적, 학문적 발전을 촉진해 가고 있다. 예술치료 전반의 지속적인 발전과 성장을 위해 전문적인 예술치료사를 양성하는 것은 중요한 사안임에 틀림없다.

3. 예술치료의 심리 이론적 배경

예술치료는 예술과 심리학, 상담학, 정신의학, 인류학 등 여러 분야의 이론이 통합되어 형성된 분야이다. 예술창작에 몰입하는 과정 자체가 효과적인 치료 행위가 될 수 있지만, 심리적 이론과 연계될 때 치료적 속성이 극대화된다(Hogan, 2017). 지난 몇 세기 동안 신비한 힘과 특별한 지위를 가지고 있는 주술사와 철학자가 인간의 정신에 대해 논하였다면 19세기 말부터 20세기 초에는 인간의 발달을 심리학적 방식으로 바라본 Freud의 정신분석 이론을 시작으로 심리적 이론의 확장과 활용은 상담 및 심리치료 전문직에 많은 영향을 미쳤다(Neukrug, 2016). 예술치료는 정신분석학, 분석심리학, 인본주의 심리학, 심리학, 행동주의 심리학, 인지심리학 등 다양한 심리학적 배경을 가지고 현장에 적용된다. 심리적 이론의 접근과 활용은 상담자와 치료사의 필요에 의해서 발달되었는데 (Neukrug, 2016), 이는 인간에 대한 이해와 정의가 각기 다르기 때문이다. 치료사의 역할에 대한 견해와 심리적 이론마다 선호하는 예술의 사용방식과 치료 방법 역시도 다양하다(Hogan, 2017). 즉, 예술치료사가 어디에 근거를 두느냐에 따라 예술치료의 접근방식과 과정에 대한 개념이 달라지는 것이다.

인간과 관련된 학문 및 예술 분야에도 지대한 영향을 끼친 Freud의 정신분석이론과 Jung의 분석심리학, 그리고 예술치료 장면에서 많이 활용되는 Rogers의 인본주의 심리학을 중심으로 예술치료의 심리·이론적 토대와 특성에 대해 논의하고자 한다. Freud의 자유연상법과 Jung의 원형이론과 집단무의식이론 등은 모든 예술치료의 심리학적 모체라고 할 수 있으며(정광조 외, 2019), Rogers의 인본주의 심리학은 분석적이고 의학적인 접근이 아닌 예술의 창조적 연결성을 강조하는데 이는 인간중심 표현예술치료의 토대가 된다.

1) Freud의 정신분석이론

20세기 초반 Freud는 인간의 무의식을 탐구하는 정신분석 심리학 학문으로 인간을 이해하는 데 중요한 철학적 접근을 제시하며 내담자가 겪고 있는 심리적 문제의 의미와 원인을 더욱 근본적이고도 심층적으로 이해할 수 있도록 하였다(김진숙, 2001; 원상화, 2009). 성격발달이론인 정신분석의 이론적 핵심은 인간의 행동이 현재 사건에 의해 발생하거나 우연히 일어난 것이 아니라 무의식적이고 비합리적인 생물학적 본능과 내면적인 충동에 의해서 결정된다는 것으로, 무의식의 발견과 무의식적 자료를 통찰하기 위한 자유연상기법은 예술치료 발달에 단서를 제공하였다(정광조 외, 2019; 홍은주 외, 2017). Freud는 예술을 환상세계와 현실세계를 이어주는 가교로 보았다. 이는 예술가가 창작을 통해서 충족되지 못했던 환상세계를 현실세계로 구체화시키는 과정에서 무의식 속에 있는 마음의 갈등, 좌절감, 고통과 같은 억압을 가지게 한 요소들을 표현함으로써 해방감을 느끼며 고통에서 벗어나 숭고한 자아가 형성될 수 있게 하는 길이다(김진숙, 2001; 홍은주 외, 2017). 즉, 예술의 원리와 실천은 인간의 본성에서 가장 파괴적인 충동을 상징적으로 표현해낼 수 있는 방식을 제공하는 것이다(Halprin, 2006). 예술치료에서 중요하게 다루는 예술의 시각적 사고에 대해 Freud는 다음과 같이 설명하고 있다.

> 그림으로 생각하는 것은 의식으로 되기에는 매우 불완전한 형태이다. 다른 한편으로 이는 언어로 생각하는 것보다 더 무의식적인 과정에 가까울 수 있고 후자보다 더욱 오래된 방식이다. (Simon, 2006, p. xi 재인용)

> 예술은 환상세계와 현실세계를 잇는 가교라는 것이고 예술가가 그 길을 찾는 방법은 혼자서 환상세계를 추구하는 것만으로 가능한 것이 아니고, 창작을 통하여 환상세계를 현실세계로 구체화시키는 것에서 그 길을 발견할 수 있고, 이러한 창작 활동은 무의식 세계라고 할 수 있는 심리 세계에 유배되어 있는 마음의 갈등과 좌절감을 갖게 한 요소들을 외면화(표현)함으로써 오는 해방감과 고통의 경감이 가능하게끔 하는 길이다. (김진숙, 2001, p. 14 재인용)

무의식과 신경증 증상 사이를 인과론적 관점에서 설명하였던 Freud는 자신의 무의식적 욕구를 충족시키려는 의도에서 예술작품을 창작한다고 하였다(김성민, 2017). 인간은 억압, 투사, 합리화 등 일종의 방어기제(defense mechanism)를 통해 욕구를 충족할 수 있는 대체물을 찾게 되는데 그것이 곧 예술로, 스스로 받아들이기 어려운 무의식의 욕구나 충동으로부터 자아를 보호하기 위해 일어나는 행동이라 본 것이다(김선명, 김준형, 2021). 즉, Freud는 예술을 통해 본능적 충동과 억압된 욕구를 승화할 수 있다고 하였다.

2) Jung의 분석심리학

Jung은 Freud가 예술작품을 심리학적으로 해석하기 위해서 예술의 창작 과정을 지극히 개인에게만 초점을 두는 한계를 가진다고 하며 예술의 본질은 초개인적, 전인류적인 정신과 감정의 호소이지 개인적인 특성에만 국한된 것은 아니라고 하였다(홍은주 외, 2017). Jung은 무의식이 개인적 차원만 있는 것이 아닌 집단적인 차원도 있다고 본 것인데(김성민, 2017), 개인의 무의식은 인간이 각자 가지고 있는 삶의 성향에 따라 다르지만, 집단 무의식은 인간이 태초부터 가지고 태어난 것으로 개인의 무의식보다 풍부하고, 인간이 생각하고 행동하는 하나의 틀로서 시대와 내용에 따라 다르게 나타난다고 하였다(정광조 외, 2019; Forestier, 2013). 예술이란 집단 무의식의 정신구조인 페르소나, 아니마, 아니무스, 그림자 등의 원형의 이미지를 구현하는 것이다(김선명, 김준형, 2021). Jung은 미술, 무용, 이야기(신화) 등을 통한 적극적 상상으로 집단 무의식이라고 부르는 보다 깊은 차원의 무의식 상태를 연결하는 개성화 과정을 치료 과정으로 보았다(김진숙, 2001). Jung은 이미지를 만들어내는 인간의 상상 기능에 치료의 기초를 두어 적극적 상상기법을 발전시켰으며, 적극적 상상기법은 무의식을 의식화하기 위해 예술 매체를 활용하여 상징을 형성하고 변형시켜 나가는 창조적이고 통합적인 특성을 가진다(임용자, 유계식, 안미연, 2016). Jung은 자신을 탐구하고, 자기실현 과정의 도구로 예술을 사용하였으며, 그림의 표현에 나타나는 원형적 형상을 재구성하는 것에 중요성을 두었다. 무의식에 표현된 심상과 이미지를 Freud는 내담자 분석을 위한 임상적 자료로 사용하였다면, Jung은 내담자와 치료사 간의 통찰과 이해를 하기 위한 자료로 활용하였던 것이다.

3) Rogers의 인본주의 심리학

인본주의 심리학자인 C. Rogers는 내담자 중심 치료(Client-Centered Theraphy)를 창시하였다. 인본주의 심리학파는 심리치료의 방향을 증상 중심의 병리학적 관점이 아닌 인간의 잠재력과 성장에 중점을 두었다. C. Rogers의 딸인 N. Rogers는 내담자 중심의 인본주의 심리학을 받아들였는데 인간에게는 성장하고자 하는 타고난 충동이 있으며, 자신의 완전한 잠재력에 도달할 수 있는 능력을 타고났다는 믿음에 근거를 두어 개인의 변화와 성장을 돕는 인간중심 표현예술치료를 실천하였다(Rogers, 2007). 인간에게 적절한 환경만 주어진다면 누구나 자기 치유에 대한 엄청난 능력을 발휘할 수 있다고 보았던 것이다. 예술을 통해 깊은 내면의 자신을 발견해 나가는 과정으로 내적인 느낌을 외적인 형태로 표현함으로써 마음을 정화하고 영혼을 고양시키며 더 높은 의식의 상태로 이끌어간다(Rogers, 2007). 즉, 예술치료의 핵심은 예술 활동과 예술 작품을 진단하거나 일반화된 상징과 해석으로 접근하는 것이 아니라 모든 인간은 근원적으로 창조적 능력, 즉 성장의 욕구가 있다는 것을 전제로 예술 창조과정을 통해 개인적인 성장과 더불어 더 높은 의식 상태로 나아갈 수 있는 자기 인식, 이해, 통찰이 가능하다고 본다(Halprin, 2006). 예술치료의 치료적 요소는 예술적 창조 행위 속에서 일어나는 변화 자체와 이미지 연구와 의미를 찾기 위한 과정에서 일어나는 통찰과 성장이다(임용자, 2004; Rogers, 2016). 인간중심 예술치료는 고통을 회피하기보다 예술의 창조적 표현을 통해 몸과 마음, 영혼의 자유를 갖도록 하는 것이다.

4. 예술치료의 치료미학적 접근

　심리학의 이론적 토대는 예술치료의 이론적 근거를 마련하고, 이
론적 배경을 통합하고 수용하여 예술치료에서 주요 모델로 사용하
는 데 지대한 영향을 미쳤다(임용자, 2004). 그러나 때로는 예술치
료에서의 예술작품과 작업 과정이 심리학에 기초하고 있는 기존의
이론적 틀 안에서 해석되어 예술이 이차적 현상으로 간주되기도 하
였다. Knill을 비롯한 표현예술치료 분야의 개척자들은 심리학 이론
을 부정하고 거부하는 것이 아니라 예술치료의 원리와 실천이 이해
될 수 있도록 예술이 가지는 힘을 예술 자체의 관점에서 이해하고
자 예술의 치료적 사용을 설명하는 이해의 틀로 미학을 중심에 두
었다(Knill et al., 2011). 따라서 치료미학의 관점에서 예술 창조과
정과 예술작품 자체가 갖는 고유한 치료적 힘에 대한 논의를 중심
으로 철학과 이론, 실천의 문제를 통합적으로 바라보고자 하였다.
　비언어적이고 비논리적인 차원으로서의 예술이 온전한 지식으로
인정받지 못한 배경에는 Descartes의 철학이 있다. 그는 사고하는
존재로서 존재한다는 이론을 통해 모든 앎의 기초인 지식의 주체가
마음이 되어야 한다고 주장하였으며(Knill et al., 2011) 이로써 마
음은 몸과 분명하게 분리되었고 마음의 작용, 즉 이성적이고 논리
적인 사고인 지식만이 타당한 지식으로 인정되었다. 반면 직접적인
지각 경험을 통해서 습득되는 앎은 타당한 지식으로 인정되지 못했
는데 그 대표적인 분야가 바로 미적 체험이었으며 신체적인 과정이
나 느낌, 정서와 같은 인간 경험의 중요한 측면들은 마음의 논의에

서 제외되어왔다(이모영, 2010).

Merleau-Ponty는 지각현상학을 통해 몸과 정신을 분리하는 존재로서의 Descartes 철학을 비판한다. 그에 의하면 앎은 우리의 관념에 의한 사유로써의 결과가 아닌 일상을 통한 생생한 경험의 세계를 근거로 한다. Merleau-Ponty(2002)는 "신체는 세계 안에 내리는 우리의 닻이다"(p. 169)라고 말한다. 이는 세계 속에서 존재하는 인간은 몸을 통해 세계를 경험하고 몸과 더불어 지각한다는 것을 의미한다. 그는 경험의 과정에서 등한시되었던 신체에 의한 지각 경험을 새롭게 강조함으로써 Descartes의 몸과 마음의 분리를 비판하고 몸과 마음의 상호작용과 통합을 강조한다. 즉 우리의 몸은 단순히 경험한 것을 전달하기만 하는 수동적 신체 기관이 아니라 세계 속에서 이루어진 경험을 세계에 대한 앎으로 구성하는 눈에 보이지 않는 참조 틀이며 능동적으로 구성하는 인식의 기제라고 할 수 있는 것이다(이모영, 2010).

신체에 의한 지각적 경험이 앎에 대한 능동적 과정이라는 것은 뇌신경과학적 연구에서도 입증된 바 있으며 이러한 지각 경험은 인간의 전의식과 무의식의 차원으로 처리되어 삶에 큰 영향을 미친다는 사실 또한 입증되고 있다(이모영, 2009). 특히 철학, 인지과학 분야에서는 이성적이고 논리적인 측면만을 고려하는 것은 인간의 마음을 이해하는 불완전한 방법이라는 주장과 함께 새롭게 관심을 모으고 있는 이론인 '체화된 마음(embodied mind)'이 대두되고 있다.

체화된 마음은 우리의 마음은 몸, 환경에 체화되어 있다는 이론으로(Clark & Chalmers, 2010), 몸이 외부의 대상을 이해하는 과정은 대상과의 직접적인 상호작용을 통해 이루어지는 것이며 따라서 인간의 몸과 마음은 불가분의 관계를 맺고 있어 인간의 마음을 몸, 환경과 분리해서는 온전히 이해할 수 없음을 강조한다(Noë, 2009). 즉 체화된 마음은 Merleau-Ponty의 지각 현상학과 일맥상통하며 그 이론을 증명하는 이론이라고 할 수 있다.

'체화된 마음'에 의하면 생명체로서의 인간은 생존을 위해 주어진 자극과 환경에 민감하게 반응하고 효율적으로 대처하는 삶의 행동 방식을 발달시켜 세상에 적응해 왔으며 이처럼 우리의 마음은 우리가 세상을 경험하고 이해하는 매우 기본적이면서 원초적인 방식으로 작동하며 구성된다(Varela, Thompson, & Rosch, 2013). 인간의 인지적 활동 또한 환경과의 상호작용 과정을 통해 진화되었으며, 따라서 인지적 기능과 마음은 감각 운동 처리를 토대로 환경과의 작용을 통해 마음의 포괄적 측면으로 확장된다고 볼 수 있다(Clark & Chalmers, 2010).

지각현상학과 체화된 마음 이론에 의하면 인간의 마음에 대한 이해를 위해서는 마음의 표상인 의식적 부분뿐 아니라 몸의 개방적이고 순환적인 경험을 통한 자기조직화 과정을 기초로 발견하고 구성하는 과정으로 확장되어야 하는데 특히 이 두 이론은 이를 통해 예술치료가 언어를 사용하는 기존의 심리치료와는 달리 어떤 차별성과 강점을 가질 수 있는지에 대한 문제에 유용한 정보를 제공하고 있다. 이에 대해 이모영(2010)은 인간의 미적 체험이 지각현상학과 체화된 마음에서 말하는 직접적인 경험에 대한 대표적인 영역이며 미적 체험의 이러한 특성이 예술의 치료 효과에 대한 중요한 매개인(媒介因)이 된다고 말한다.

현상학적 이론에 의하면 인식의 주체와 대상과의 밀접한 상호작용인 미적 체험은 객관적인 세계 혹은 이성에 의한 앎보다 인간 내면의 심리적 상태를 반영하는 정서와 의미를 내포하고 있으며 주체자의 삶과도 밀접하게 관련되어 있다. 결과적으로 예술치료에서 작업한 내담자의 그림은 내담자의 내면과 심리적 상태를 근거로 구성된 결과물이라고 할 수 있으며 이는 내담자를 진단하고 이해하는 데 더욱 유용한 방법으로 작용한다(이모영, 2010). 이는 미적 체험이 직접 경험을 통해 객관적이고 이성적인 세계에 가려져 있던 의미를 발견하고 구성하도록 하기 때문이며 또 이와 같은 의미의 차원은 주체의 삶과 밀접한 관련이 있어 내면적 욕구, 갈등 등의 심리적인 측면까지 접근하도록 하기 때문이다.

이는 체화된 마음 이론의 관점에서도 마찬가지다. 몸을 매개로 한 자기조직화 과정을 기초로 환경과의 상호작용을 통해 마음이 구성되고 이러한 과정이 무의식적으로 이루어지는 것이라고 한다면 심리·정서의 문제를 해결하기 위한 상담으로써 언어만을 사용하는 것은 매우 제한적일 수 있다(이모영, 2019). 또한, 인간의 심리적 문제들은 정서와 연관되어 있으며 말로 표현하기 어려운 측면들의 문제이다. 여기서 체화된 인지는 왜 인간의 심리 문제를 개선하는 데 예술이 필요한지에 관한 이론적 기반을 제공한다. 이는 일찍부터 예술이 중요하게 여겨왔던 감각운동과정, 정서, 느낌, 질성 등은 바로 체화된 인지를 구성하는 핵심 인지 양상들이기 때문이며(이모영, 2019) 따라서 미적 체험은 심리·정서에 대한 치료적 측면에서 매우 중요한 의미를 지닌다(이모영, 2010; Clark & Chalmers, 2010; Johnson, 2012).

신체를 매개로 한 세계와의 직접 경험을 기초로 하는 지각의 전(前)반성적인 인식 과정은 마음과 미적 측면이 인지와 밀접한 관련이 있으며 예술심리학자 Arnheim은 '시각적 사고(Visual Thinking)'의 개념을 통해 설명한다. 시각적 사고는 '보다(perception)'와 '사고하다(thinking)'의 두 의미를 연결한 개념이다. 일반적으로 철학이나 심리학에서는 보는 것과 사고하는 것은 구별되는 인지과정으로 간주되어왔으나 Arnheim(2004)은 본다는 것은 외부 세계에서 얻을 수 있는 정보를 수집하는 수동적 행위가 아니라 그 자체로 능동적인 지능적 인지과정이라고 설명한다.

대상을 본다는 것은 무의미한 빛의 배열을 단순히 보는 것이 아닌 빛의 배열을 통해 얻은 정보를 조직하고 해석하여 대상의 본질을 발견, 탐구, 이해하고 의미를 부여하는 독특한 고도의 지각 과정인 것이다(Arnheim, 2004). 즉 지각한다는 것은 무의미하게 나열된 정보들 속에서 구조적 패턴을 찾아 의미를 부여하는 것으로 이 과정은 기존의 지식과 논리에 기인하기보다는 요소 간의 상호관계로부터 새롭게 구성되는 과정에 기인한다(이모영, 2009).

Arnheim(2004)은 일반적으로 사고한다는 것과 구분되었던 본다는 것을 감각기관을 통해 수집되는 외부 정보를 받아들이기만 하는 수동적인 기능이 아니라 그 정보를 창조적 인지과정을 통해 이해하고 구성한다고 하였으며 바로 이를 시각적 사고라 규정하였다. 이러한 지각적 견해를 바탕으로 밝혀낸 예술의 치료적 기능을 살펴보면 첫째, 시각적 자극을 포함한 지각 경험은 신경학적으로 에너지를 제공하고 심신 활성화 수준을 향상시킨다. 즉, 이러한 지각 경험으로서의 예술은 삶의 에너지를 제공할 수 있다. 둘째, 자기 삶의 경험을 근거로 하여 예술 활동에 몰입하였을 때 예술을 지각적 경험을 통해 언어적 개념이나 논리적, 의식적으로 접근할 수 없었던 무의식의 영역에 접근할 수 있도록 하고 문제를 통찰할 수 있는 기회를 제공한다. 셋째, 예술은 논리적이고 합리적인 사고와 같은 객관적이고 절대적인 영역에서 벗어나 개방적으로 사고하도록 하여 삶의 문제를 다양하고 유연한 관점으로 바라볼 수 있도록 한다. 마지막으로 예술은 창조적으로 사고할 수 있도록 하여 경직되고 고착된 문제를 새로운 시각으로 바라볼 수 있도록 한다. 따라서 지각하는 것, 본다는 것은 사고하는 것이며 이처럼 시각 정보를 동시적으로 처리하는 시각적 사고의 통합적 능력은 심리치료를 위해 왜 예술이 필요한지에 대한 이론적 근거를 제공한다.

인간은 자신이 처한 환경 또는 조건에 적응된 상태로 태어나는 것이 아니다. 대신 인간은 자신이 처한 세계에 대응할 수 있는 여러 방안을 모색하고 그 세계에 자신이 살 수 있도록 적응하기 위해 무엇인가를 형성하는 활동을 하는데, 이는 세상 속에서 살아가는 존재의 근원으로 모든 역사와 문화를 통틀어 나타나는 인간의 특성이라고 할 수 있다(Atkins & Williams, 2010).

인간은 세상을 이성적으로, 지적으로 이해하기 전에 먼저 감각(senses)을 통해 세상을 경험하고, 이러한 감각은 단순히 신체적인 느낌만을 주는 것이 아니라 언제, 어떻게 의미를 형성하고 행동을 취해야 할지 알려준다. 감각 경험은 모든 예술 형태에 깊이 뿌리내려져 있으며 예술과 치료 모두에 교차되는 중요한 역할을 한다(Halprin, 2006). 즉, 감각 세계는 멀리 떨어져서 관조하고 관찰하는 것이 아니라 세계 내에 존재하며 경험하면서 의미를 부여하고 세계의 의미를 구성해 나가는 것이라 볼 수 있다. 세계를 체화된 형태로 이해할 수 있는 미학적 활동을 통해 우리는 세계의 모습과 형태가 우리에게 즐겁고 만족스러우며 의미 있을 때 아름다움을 경험했다고 말한다(Atkins & Williams, 2010; Levine & Levine, 2013). 아름다움은 세계를 형성하려는 모든 행동의 궁극적인 기준으로 인간은 이해되지 않거나 의미가 통하지 않는 심미적인 세계에 살기 원하지 않는다. 따라서 인간은 아름다움이 존재하는 세계를 만들기 위해 세상을 형성할 수 있는 능력인 포이에시스(poiesis)를 활용한다(Atkins & Williams, 2010; Levine & Levine, 2013). 주어진 것을 구성하는(shaping) 행위를 통해서 의미가 드러나도록 하는 능력인 포이에시스는 예술 창조와 관련되어 있기도 하지만 새로운 것을 세상에 드러내는 일반적인 의미의 활동을 뜻하는 것으로, 인간이 세상에 존재하는 근본적인 방식이자 실존의 중요한 가능성인 능력으로 예술치료의 중요한 철학적 개념이다(Knill et al., 2011). 포이에시스는 논리적, 지식적으로 이상적인 완성된 과학과 철학을 추구하는 것도 아니고 행위, 참여 자체에만 의미를 두는 것도 아니다. 인간 실존의 근원은 인간의 유한성을 인정하며 인간을 고정불변의 완성된 존재가 아닌 변화하는 존재로 보는 것이다. 이처럼 인간 실존의 근원이 되는 포이에시스는 인간의 본성으로서의 '창조하기'와 그 '과정'에 뿌리를 두고 있으며, 예술은 보여주기(showing)와 드러내기(manifesting)의 양식으로 이해될 수 있다(Atkins & Williams, 2010; Knill et al, 2011). 포이에시스는 인간의 존재와 죽음을 초월하게 하는 것, 고통을 부정하거나 제거해 버리는 것이 아니라 포이에시스를 통해 고통 그 가운데 혼돈을 견디게 하는 능력이다(임용자, 2004). 즉, 예술이란 그림, 시, 음악, 연극 등과 같이 만들어지는 것뿐만 아니라 그것들이 만들어지면서 고통에 당면한 자신의 존재를 드러내는 것으로 예술을 통해 고통과 비극은 시각 이미지로, 노래로, 춤으로, 행위로 표현되면서 미를 형성하고 생산한다. Knill은 예술을 통해 삶의 고통을 보는 관점을 다음과 같이 설명하고 있다.

> 치유 관계 속에서 '이 세상 내에서 존재하기'에 대한 재개념화는 예술을 고통이 '존재하러 오기(Coming-to-Be)' 그리고 고통이 '가버리기(Passing Away)'라는 양극적이고 변증론적인 삶을 살아가는 근본적인 방식이라고 이해하는 데 있다. (임용자, 2004, p. 22 재인용)

예술은 그림, 음악, 시, 글쓰기, 움직임 등 다양한 매체를 통해 직면하기를 촉진시켜 삶 속의 자료를 가지고 나올 수 있게 하며, 새로운 방식으로 감춰지거나 숨겨진 것들을 드러내고 오래된 기억들을 표현하게 만든다. 예술의 열정과 창조성은 인간의 고통을 안전하게 드러내며, 창의적인 놀이를 통해 개인의 상처와 상징적으로 대면할 수 있다(Halprin, 2006). 예술 창작 행위는 일상적인 걱정을 초월하여 상상의 세계로 들어가며 이성에 의해서가 아닌 놀이에 근거하여 의도적인 통제를 지양한다(Levine & Levine, 2013). 이성적이고 논리적 사고는 주어진 규칙과 전제의 경계를 명확히 하여 제한을 받는다. 그러나 예술창작 행위는 이러한 전제와 경계의 제약으로부터 비교적 자유로우며 기존의 사고와 틀에서 벗어나 자유롭게 상상하는 것을 가능하게 한다(이모영, 2009). 고통스러운 사건을 있는 그대로 재현하는 것이 아니라 그것을 상상 속에서 변화시키고 변모시키고 부정적 정서를 안전하게 표현할 수 있기 때문에 치료적 효과가 나타난다(Knill et al., 2011). 상상의 세계로 들어가는 것은 자신이 처한 어려운 상황, 일상생활의 고민 등 일상의 세계로부터 탈중심화하는 경험이다. 탈중심화란 "문제의 막다른 (dead-end) 상황에서 무력함을 가져다주는 협소한 생각, 말, 행동, 논리로부터 벗어나려는 움직임으로 예기치 않던 놀라운 의외성의 공간으로 들어가는 것이자 상상력의 논리 내에서 경험하는 것이다"(Knill et al., 2011, p. 89). 즉, 탈중심화는 놀이 세계라는 실제와 상상 사이의 공간에서 예술은 경계를 넘나들며 혼란스러움을 경험하는데, 이때 갖게 되는 혼란스러움 그 자체로만 가치가 있는 것이 아닌 경계성의 상태에서 해체와 재구성의 과정으로의 경험이 중요한 것이다(이모영, 2010).

예술은 갈등과 어려움으로부터 어느 정도 거리를 둘 수 있도록 하는데, 이러한 의도적 거리 두기(international distancing)는 단절시키는 것이 아니라 의식적인 대화에 들어가도록 하는 것이다

(Halprin, 2006). 예술을 창조함으로써 존재와 인식에 대한 자아의 잠재적 범위를 확장해 나가며 과거와 현재 그리고 자신의 내면과 외부 현실을 보는 눈을 가지게 되고, 동일함 사이의 다름을 판단할 수 있도록 도움을 준다(Simon, 2006). 이처럼 예술치료에서의 놀이 의식은 내담자가 기존의 사고와 틀에서 벗어나 마음껏 상상하는 것을 허락함으로써 상상의 양식을 구체적인 예술 매체로 심화시켜 표현해 나가는 과정을 통해 상상의 세계와 비현실적인 세계, 두 가지 세계를 구분 짓고 더 잘 이해하도록 돕는다.

앞서 언급한 바와 같이 인간은 언제나 아름답고 좋은 방향으로만 세계를 형성할 수 없고, 때로는 파괴적인 방식으로 세계를 형성해 나갈 수도 있기 때문에 보다 창의적이고 적합한 방법으로 세계를 만들어 가기 위한 도움이 필요하다(Levine & Levine, 2013). 인간의 고통을 보는 일반적 관점과 예술을 통해 보는 예술치료적 관점은 근본적으로 다르기 때문에(Knill et al., 2011; Levine & Levine, 2013) 창의적이고 적합한 방법으로 세계를 형성하는 데 있어 예술은 매우 적절한 방법이 될 수 있다.

심리치료에서 우리는 비일치적이고 혼란스러운 심리·정서적 문제에 대한 해소와 극복을 이루고자 하는데 시각적 사고와 같은 지각의 구조적 특성은 바로 이러한 심리치료 상황에서 문제를 새로운 시각과 방식으로 바라보고 재구조화(restructuring)할 수 있도록 하는 역할을 제공한다(이모영, 2009). 다시 말하면 시각적 사고를 포함한 인간의 신체적 이해는 그 과정이 미적 경험 과정의 차원과 동일하므로 예술은 우리가 자신과 세계를 이해하는 데 매우 중요한 수단이 될 수 있는 것이며 언어로서 표현할 수 없는 측면을 표현하고 탐구하고 변형하고 새롭게 재구성하는 매우 유용한 기능을 수행할 수 있는 것이다.

5. 예술치료 특성 및 효과

예술치료는 미술, 음악, 문학, 동작, 연극 등 다양한 예술 양식 및 예술과 심리학, 예술과 치료, 치료와 교육 분야가 상호작용하고 통합된 것으로 고정화된 특정 구조를 가지는 것이 어렵기 때문에 예술치료 개념의 조작적 정의가 어렵다(이근매, 2008; Atkins & Williams, 2010). 예술치료에 대한 개념은 20세기 후반에 발달하기 시작하였지만, 현재까지도 예술치료의 범위나 정의에 대한 개념은 계속 발전하고 있다(Malchiodi, 2012a). 예술치료는 예술을 통해 언어로 설명하기 어려운 감정과 생각 즉, 내적인 느낌을 외적인 형태로 표현함으로써 내적 정서로부터 자신을 발견해 나가며 삶을 풍요롭게 한다는 개념에서 출발하였으며, 예술을 치료의 매체로 사용하는 일체의 표현예술활동을 말한다. 오늘날 가장 보편적으로 활용되고 있는 예술 양식은 시각예술, 음악, 동작, 글쓰기, 연극 등으로 미술치료, 음악치료, 동작치료, 연극치료, 문학치료 등으로 불리면서 단일 예술 양식의 영역이 구축되어 전문화되어 가고 있다(곽현주, 2013). 다양한 예술 양식의 전문성을 최대한 발휘하되 두 개 장르 이상 또는 여러 개 장르를 통합적으로 활용하여 치료의 효과성을 높이고자(이근매, 2008) 단일 예술치료가 전문화되어 가는 발달과정에서 이미 매체 간, 매체별 예술과 심리치료와의 통합적 시도가 점진적으로 이루어져 왔다. 단일 예술치료 분야와 예술을 통합하는 분야 모두 인간의 행복과 복지를 위한 것으로 예술과 창조적 표현, 미적 경험을 활용한다는 측면에서 엄격하게 분리되기보다 서로 연합하고 있다(McNiff, 2014).

  예술치료는 단일 예술 양식을 사용하기도 하지만, 대상과 상황에
따라 하나 이상의 다양한 예술 양식을 함께 사용하기도 한다. 어떠
한 예술도 치료 장면에서 사용할 수 있으며, 내담자의 욕구에 잘
부합될 것인가가 중요하다. 다양한 예술 양식의 통합적 접근이 필
요한 이유는 인간의 정신세계가 다원적이고 고유한 개체로서 내담
자가 가지고 있는 다양한 요구에 부응하기 위함이다(조정옥, 2019).
인간은 각기 다른 표현양식을 갖고 있기 때문에 다양한 표현들은
어떠한 심리학적, 치료적 통찰력보다 사람들에게 더 많은 영향을
끼친다. 창의적 표현의 가장 완전한 활성화를 위해 하나의 예술 양
식을 다른 하나의 매체로 전환시키는 것이 필요하다(McNiff,
2014). 이는 한 사람의 개별성과 고유성을 존중하며 완전한 표현과
완전한 이해를 위해 모든 예술 전반에 의존하는 것이다. 다중매체
양식을 사용하는 통합적 접근의 예술치료에 대한 용어 정의를 살펴
보면 <표 1>과 같다.

<표 1> 예술치료 용어 정의

연구자 및 학회명	용어	정의
Atkins & Williams (007)	표현예술치료	심상, 연극, 무용, 시, 음악, 스토리텔링, 꿈 작업, 시각예술을 통합적으로 사용하여 인간의 성장, 발달, 자유를 돕는 시술
Rogers (2007)	표현예술치료	성장과 치유를 촉진하는 지지적 환경을 만들어내기 위해 다양한 예술의 장르를 활용 감정을 경험시키고 표현시키기 위한 지지적인 상황에서 다양한 예술을 활용하는 것

임용자 (2004)	예술심리치료	개인의 신체, 정서, 인지의 요소를 통합하는 과정을 촉진하기 위한 표현 과정으로서 예술 매체 및 표현예술과 심리치료를 통합한 것
홍유진 (2017)	표현예술치료	내담자가 자발적인 예술체험을 통하여 의식을 진화하고 우주적 존재로서의 가치를 자각하도록 다양한 예술 매체를 통합·적용한 것
한국예술치료 학회 (2010)	예술치료	여러 분야의 예술과 현대의학, 상담이론과 심리치료이론이 통합되는 다각적인 치료기법으로 인간 내면의 세계를 예술 매체를 이용한 창작 과정과 창작품을 통하여 외부세계로 드러냄으로써 부정적인 감정을 치료하는 것

이처럼 예술치료에 대한 정의는 일치하지는 않지만, 예술을 통해 자신이 누구인가를 이해할 수 있도록 하며 삶을 풍요롭게 하는 개념으로 인간의 성장과 발달, 치유와 회복을 목적을 가진다는 것은 공통적이다. 방법적으로는 단일 예술 양식으로 국한하는 것이 아니라 다양한 예술 표현양식의 독특함과 공통점을 찾아내어 다양한 예술 양식 간의 연결을 통해 상호보완적 기능을 하며 표현 과정을 촉진하도록 한다.

다양한 예술 양식의 통합과정과 예술적 표현 방법은 고정적이거나 미리 정해진 것이 아니다. 서로 다른 예술 양식이 동시에 표현되기도 하고 한 예술 양식이 다른 예술 양식으로 전환되기도 하면서 예술은 서로 개별적이면서 통합적으로, 그리고 자연발생적이고 유기적으로 활용된다(McNiff, 2014). 이러한 예술치료의 접근은 많은 학자들에 의해 표현예술치료라 불리고 있으며, 표현예술치료는

통합적 표현치료, 창조적 예술치료 또는 학제 간 통합예술치료라고
도 불린다(Atkins et al., 2008).

Estrella는 표현예술치료의 기본 개념과 공통성을 다음과 같이 제
시하였다. 첫 번째, 감각에 기초한 표현이다(Malchiodi, 2012b, 재인
용). 모든 예술은 비언어적이며 표현으로 드러나는 과정이기 때문에
상담 및 심리치료와는 다른 독특성을 가진다. 둘째, 모든 예술은
미, 조화, 리듬, 역동적 긴장, 기타 속성 등을 포함한 미학의 원리를
공유하며 감정과 경험에 상징적 형태를 부여한다. 셋째, 예술을 통
한 창조적 표현은 예술치료의 핵심이며 치료에 다양한 예술 매체를
활용한다. 즉, 예술을 통한 창조성은 즉흥성, 변형, 조직화, 기타 활
동을 포함하는데, 시각적 예술, 음악, 동작, 문학, 극 등의 매체를
통해 형식화된 표현을 끌어내는 것이다.

Halprin(2006)은 표현예술치료를 설명함에 있어 정신운동 감각
심상 모델을 제시하였는데, Halprin의 정신운동 감각 심상 모델은
통합 예술 모델로 표현예술치료에서 다양한 방식으로 활용되고 있
다. <그림 1>과 같이 운동 감각적 신체, 시각적 이미지, 느끼는 경
험 간의 상호작용을 다루면서 무의식의 자원들이 표현되는 것을 허
용하는데, 체계적이고 반복적인 방식으로 예술 양식 간의 상호관계
를 형성하면서 신체, 정서, 이미지 간의 상호작용을 재창조하고 강
화한다.

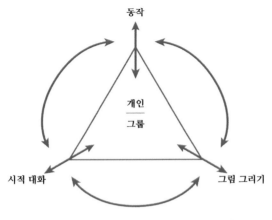

<그림 1> 정신운동 감각 심상 모델
출처: Halprin, 2006, p. 157

움직임으로 시작하여 그림으로 연결한 뒤 시적 대화로 마무리할
수도 있고, 또는 그림 그리기로 시작하여 움직임 탐색으로 연결시
킨 뒤 글로 마무리할 수 있다. 이처럼 다양한 상호작용이 다중 예
술 양식 사이에서 일어날 수 있으며 이 과정에서 동작과 이미지가
서로 연결된다면 이는 신체와 정서가 공명하는 것이다(임용자 외,
2016).

Knill 외(2011)는 표현예술치료 맥락에서 상호통합 표현예술의
필요성과 중요성을 설득하고자 다음과 같이 4가지 이론에 근거하여
설명하고 있다.

첫째, 상상력과 예술작품이 연계된 행위나 의사소통을 가능하게
할 수 있는 상상력 양상 이론(Theory of Imagination Modalities)이
다. 인간은 시각적인 이미지뿐만 아니라 다른 감각적인 요소인 움

직임, 리듬, 소리, 행위, 언어 등을 통해서 상상하게 된다. 예를 들어 한 편의 시는 시각적인 이미지를 나타내며 리듬을 갖고 행위를 묘사할 수 있고 한 편의 극은 움직임, 행위, 이미지, 소리, 리듬 등을 감지할 수 있는 상상력의 양상이 내포되어 있다. 즉, 상상력은 진정으로 상호통합적이라고 할 수 있다.

둘째, 결정이론(Crystallization Theory)은 적절한 예술 분야의 가장 적합한 재료, 구조, 형태의 틀을 찾고 수정해 나가는 과정에 관심을 가진다. 인간은 자신의 경험을 표현하고자 하는 갈망을 가지고 있으며, 이러한 경험을 다양한 예술의 고유한 특성을 통해 형태를 부여하여 의미를 찾고자 한다(Atkins et al, 2008). 이미지가 없는 시각적인 예술, 움직임이 없는 댄스와 무언극, 행위가 없는 극이나 영화, 소리와 리듬이 없는 음악이 없듯이 상상력을 위한 동력으로 이미지, 움직임, 행위, 리듬과 소리 등 예술의 고유한 특성은 특별한 힘을 지닌다. 고유한 특성을 살리는 예술 양식에 대한 이해는 하나의 예술의 형태에서 또 다른 예술의 형태로 이동하는 상호통합 전이에 도움을 준다.

셋째, 예술은 각각의 고유한 특성을 지니는 동시에 상호 연관되어 있는 복합미학이론(Polyaesthetic Theory)이다. 복합미학이론은 예술 분야에 관한 지각과 표현 사이의 감각적 연결들의 이해를 제공한다. 예술은 모든 감각과 의사소통의 양상들이 관련을 갖는다는 전제하에 각각의 모양이 다른 그릇이지만 감각의 양상, 인지의 활용 방안을 고려한 특성을 통해 표현과 인지가 더욱 잘 이해될 수 있기 때문에 상상의 양식 간의 복잡한 연결에 대해 정교한 이해를 얻는 것이 필요하다(Levine & Levine, 2013). 이는 하나의 조화로운 실체로서 총체적 경험을 제공한다.

넷째, 상호통합이론(Intermodal Theory)은 대인관계이론과 초개인이론을 포함하는데, 우선 대인관계이론은 예술이 사적이고 고유한 행위의 특성을 지니는 동시에 모든 예술표현은 다양성을 진술할 수 있으며 사회화를 자연스럽게 만들 수 있음을 설명한다. 한편 초개인이론은 예술이 영적, 종교적, 제례적으로 이용된 전통에서 예술분야가 의례와 일상생활에 사용된다는 특성을 가진다. 대인관계이론에서는 예술 활동에서 집단에 대한 이해를 포함하고, 초개인이론에서는 관계이론과 치료적 관계에서 창조된 예술작품이 일상생활에서 어떤 의미를 가지는지에 대한 단서를 얻을 수 있음을 설명한다(Levine & Levine, 2013). 이처럼 표현예술치료는 하나의 예술 형태가 다른 예술 형태로 영향을 미치는 과정이다.

표현예술치료의 창조적 연결은 개인의 창조성을 가리고 있던 것들을 벗겨 내고 개인만의 독특한 특징과 특별한 아름다움을 발견하게 하며 다양한 예술 양식을 연속적으로 활용함으로써 내면의 여행을 고조시키고 강화시켜 준다(Rogers, 2007). 모든 예술 양식을 활용하는 표현양식 간 통합작업은 언어로만 이루어진 상담 및 심리치료에서는 가능하지 않은 방식으로 하나의 기호, 상징, 소통할 수 있는 도구로 의식의 영역을 자유로이 이동할 수 있게 한다.

McNiff(2014)는 모든 예술은 치유의 능력이 있다고 하였다. 그는 치료적 활동의 형태는 모두 창의적인 표현을 통해 이루어지며 이러한 창의적인 표현은 끊임없이 변화되는 삶의 환경에서 인간이 자유롭고 유연하게 대응할 수 있도록 해준다고 하였다. 예술작품은 창조과정에서 인간의 핵심적 이념을 유지하여 내면과 생각을 연결할 뿐 아니라 자신에게 필요한 것이 무엇이며 언제 완성되어 질지 대한 본능적 감각을 담고 있다. 또한, 창의적인 표현은 그 자체로서 자신을 알게 하는 궁극적인 정보의 원천이며, 예술을 통한 창의적인 과정은 활성화와 순환의 과정을 통해 치유를 경험하게 하여 인간이 발전할 수 있는 에너지를 불어넣는다. 정신과 의사이자 예술사학자였던 Prinzhorn 또한 창의적 표현을 인간의 본능적 삶, 유희, 열정에 비유하면서 창의적 예술은 건강과 활력의 원천이며 삶을 긍정적으로 여길 수 있게 하는 충동이라고 하였다(McNiff, 2014, 재인용).

우리는 스스로 인지하지 못하거나 말로는 차마 다 표현할 수 없는 감정을 수없이 경험하며 살아간다. 또한, 여러 가지 이유로 그러한 감정을 표현하지 못한 채 살아가며 그 감정들은 억제되고 억압되어 우리의 내면에 자리 잡고 있다가 위기의 순간에 우리의 판단과 행동에 영향을 미친다. 예술 활동은 비언어적 의사소통 도구로서 언어적 표현의 한계를 가진 내담자를 치료사와 연결시켜 주는 다리 역할을 하며 더 나아가 세상과 소통할 수 있도록 한다(배민경, 2018). 즉, 예술치료는 언어로써는 표현하기 힘들거나 억압되어 있는 감정을 표현할 수 있도록 하여 치료의 효과를 더욱 높인다.

그뿐만 아니라 창의적인 표현은 자신이 가진 내적 에너지를 밖으로 표현하는 것에 자신감이 없는 사람들의 표현을 끌어내는데 용이하며(McNiff, 2014), 자유로운 예술 활동을 제공하는 예술치료 환경은 내담자가 상담 과정에서 느끼기 쉬운 '치료'나 '상담'이라는 부담감을 감소시켜 편안하고 쉽게 접근할 수 있도록 하여(배민경, 2018) 아동에서부터 청소년, 성인, 노인에 이르기까지 다양한 대상에게 적용하기에 용이하다.

김진숙(1993)은 창작을 통한 예술치료가 가지는 치료 방법으로서의 장점과 효과에 대하여 네 가지로 설명하였는데 그 내용은 다음과 같다. 첫째, 예술 활동을 통한 심리적인 정화와 카타르시스의 경험을 통해 내적 조화를 이루게 하여 일반적인 선에서 지나치다고 판단되는 부분은 저하시키고 결여되었다고 판단되는 부분은 보충하여 우선적으로 문제시되는 증상이 완화되도록 한다. 둘째는 예술 활동을 통해 인간의 내면세계가 표현된다는 것이다. 다시 말하면, 인간은 예술 활동을 통해 자신이 인지하지 못했던 억압된 감정이나 마음의 상태를 성찰하여 전인적인 인격을 함양할 수 있는 기회를 얻게 된다. 셋째, 예술작업을 통해 인간의 발달적인 맥락의 모습을 평가할 수 있도록 하여 긍정적이고 성숙한 단계로의 성장을 돕는다. 네 번째, 인간관계 속에서 일어날 수 있는 문제들을 집단치료 방식으로 구성된 예술 활동을 통해서 안전하고 편안하게 다루어 자신과 타인을 이해하는 기회를 제공하고 나아가서는 사회 속에서 원만한 대인관계를 형성할 수 있도록 돕는다.

많은 연구자들이 그들의 연구를 통해 예술치료의 효과성에 대하여 입증하였는데, 이는 앞서 설명한 김진숙(1993)의 의견과 일맥상통하는 내용이 많다. 이미경(2014)은 통합예술치료 프로그램에서 이루어지는 예술 매체를 통한 창의적 표현은 긍정적인 감정뿐 아니라 인간이 느끼는 부정적인 감정인 분노, 불안, 질투, 공포, 소외감처럼 불쾌하지만 표현하기 힘든 감정들을 자유롭게 표현할 수 있도록 하여 심리적인 정화의 경험을 할 수 있도록 한다고 하였으며 임윤선(2006)은 이러한 예술을 통한 심리적 정화 과정은 마음의 결핍을 해소시켜 주며 지나친 부분은 자제할 수 있는 능력을 키워주어 현재의 증상을 완화시키거나 제거할 수 있도록 한다고 하였다. 최애나(2013)는 통합예술치료는 예술 활동 과정에서 자신의 무의식을 탐색하고 그 속에 감춰져 있던 내면의 세계를 표출하여 자기치료 능력을 발휘하게 되고 그러한 행위를 통한 카타르시스는 마음의 안정을 갖게 한다고 하였다.

예술치료의 효과는 신체적인 면에서도 나타나는데 모든 매체를 넘나드는 통합예술치료는 악기를 연주하거나 춤이나 몸짓, 그림을 그리는 등의 행위가 모두 신체를 사용하도록 하기 때문에 내담자가 자신의 신체를 조절할 수 있는 능력을 키워주며 인체의 호르몬 분비를 변화시켜 생리적 기능을 조절하는 역할을 하고 이러한 기능의 향상은 신체적인 변화를 경험하는 상황에서 쉽게 적응할 수 있도록 돕는다(김진숙, 2003).

예술치료는 개인 내면의 심리적인 문제와 신체적인 문제뿐 아니라 더 나아가 타인과의 인간관계에도 영향을 미친다. 통합예술치료를 통한 프로그램은 결국 인간의 긍정적인 변인을 향상시켜 인간관계에서 일어날 수 있는 문제에 대해서도 융통성과 유연함을 가지고 긍정적으로 대처할 수 있도록 하여(김수경, 2013) 원만한 대인관계를 형성하고 유지할 수 있도록 한다.

이처럼 예술치료는 내담자의 문제와 증상의 치료에만 목적을 두는 것이 아니라 예술을 통해 인간의 전반적인 상황을 치료하기 때문에 치유와 함께 삶을 대하는 마음가짐과 태도에 긍정적인 영향을 미치며(김은화, 최세민, 2011), 결과적으로 변화와 위기를 이겨낼 수 있는 능력 또한 향상시킨다.

6. 예술치료에서의 예술

McNiff(2014)는 진정한 예술치료를 위해서는 특정한 치료 방법을 만들기보다 가장 효과적인 창의의 과정이 이루어지는 것과 그것을 위해 다양한 자원을 통합하는 방향을 찾는 것을 핵심으로 보았다. 그의 동료이자 통합적 예술치료학파였던 Knil은 이를 위해서 각 예술의 양식을 미술, 음악, 무용 등의 명칭으로 제한하는 것이 아닌, 이미지, 시각예술, 움직임, 몸짓, 소리, 창의적 글쓰기, 언어로 형상화하기, 퍼포먼스, 드라마, 스토리텔링 등 보다 거시적이고 확대된 사고로의 명칭을 사용하였다(McNiff, 2014).

위의 두 연구자에 의하면 예술치료에 있어서 가장 중요한 것은 모든 내담자가 개별의 예술치료 방법에 제한되지 않고 예술 양식을 최대한으로 사용하여 모든 형태의 예술표현을 촉진시켜 개인의 표현을 스스로 확대하게 하는 것이다. 이를 위해 예술치료에서 주로 활용되는 예술 양식에는 무엇이 있으며 그것이 치료에 관해 어떻게 작용하는지를 알아보고자 한다.

1) 이미지와 시각예술

Arnheim(2004)에 의하면 예술표현은 예술가가 시각적으로 표현한 외적 요소뿐 아니라 예술가의 경험에 의해 지각된 패턴으로서 내적 표현을 나타내는 것이다. 이는 조형 활동이 내담자의 현실적인 상황과 내적인 현실의 상태를 상징적이고 은유적으로 담아내어 표현하는 시각언어라는 것을 설명하고 있다. McNiff(2014) 또한 그림, 회화, 조각과 같은 심상의 이미지화는 스토리와 감정을 담고 있다고 하였는데 이는 Arnheim의 시각언어와 같은 맥락이며 예술치료에서 내담자가 언어로써 표현할 수 없는 것을 그림과 같은 예술활동을 통해 자신의 상황과 내면을 표현하는 것과도 일맥상통한다.

나아가 McNiff(2014)는 그림 그리기 활동을 떠오르는 이미지를 미술 재료를 이용하여 단순하게 표면적으로 전달하는 시각적인 표현만이 아닌 일종의 운동성을 지닌 몸짓으로 연장하여 설명하였으며 이러한 의미의 그리기는 더욱 독창적이면서 창의적인 방법으로서 인간의 표현적 잠재성을 현실화시킨다고 하였다. Rogers(2007) 또한 미술은 또 다른 형태의 신체 언어라고 정의하였으며 자신의 동작을 의식하며 알아차린 심오한 느낌을 선과 색채, 형태로 표현하는 창조적 연결과정이 자기 탐색을 촉진시킨다고 하였다. 종종 미술가들은 그림을 그리기 전에 음악을 듣거나 춤을 추는데 이는 앞서 설명한 예술의 창조적 연결을 보여주는 좋은 예라고 할 수 있다.

하지만 보편적으로 이루어지고 있는 예술치료는 내담자의 예술활동과 예술작품을 치료사가 해석하고 분석하는 과정을 통해서 내담자의 시각언어를 의식화하도록 하는데 이는 예술을 치료적인 과정으로 연결하는 중요한 작업이지만 자칫 시각언어에 대한 해석에만 의존하다 보면 예술 행위 자체가 주는 치료적 효과와 내담자가 표현하고자 했던 메시지 등을 놓치게 될 수 있다(정여주, 2016). 따라서 내면의 이미지화에 의한 치료적 효과를 위해서는 창의적인 시각예술에 관한 연구와 노력이 더욱 필요하다.

2) 소리

Rogers(2007)에 의하면 목소리를 내는 것은 순수한 에너지를 지니고 있으며 목소리에 의한 청각적인 영향은 영감과 자원이 된다. 나아가 개인의 상처와 상실 등을 목소리로 표현하는 것을 확장하여 노래를 통해 표현하는 것은 인간의 영혼을 확인하게 하는 것으로 치유의 효과를 나타낸다고 하였다. 이러한 과정과 결과가 가능한 것은 목소리가 가진 치유력에 의한 것으로 목소리는 사람의 마음과 몸이 만나는 지점이며 성대는 그 두 가지 영역을 연결하는 통로이기 때문이다.

나아가 그는 소리를 활용하는 것은 동작이 자연스럽게 확장되는 것이며 목소리를 내면서 몸의 진동을 느끼는 과정에서 우리의 의식을 변화시킬 수 있다고 하였다. 따라서 그는 치료 과정에서 소리를 이용할 때는 녹음되어 있는 음악보다 살아있는 음악이 주는 에너지를 강조하였으며 살아있는 음악으로써 인간의 목소리를 사용하였다. 특히, 집단이 함께 소리를 내서 이루어지는 합창은 개인을 포용하고 붙잡아주는 흐름을 형성하여 더욱 효과적이라고 하였다.

이에 관해 McNiff(2014)는 소리를 이용한 예술치료의 방법으로 소리를 낼 때, 즉 목소리를 사용하여 노래를 부를 때 움직임을 함께 하는 것이 효과적이라고 하였다. 노래 속에서의 움직임은 리듬을 형성하게 되는데 리듬은 사람들의 심리적으로 억제되어 있는 통제를 완화시키며 리드미컬한 진동과 그에 따라 움직이는 지속성이 이루어질 때, 개인과 집단은 영혼에 더욱 깊숙하게 들어가게 된다.

3) 읽기와 쓰기

치료 방법에서 '읽기'라는 개념은 치료를 위한 읽기와 함께 쓰기, 듣기, 말하기의 모든 영역을 포함한다고 할 수 있으며 매체 또한 그 영역이 책뿐만이 아니라 그림이나 영화와 같은 모든 시각적 자료를 포함한다. McNiff(2014) 또한 읽기를 활용한 치료는 음악 청취, 영화 감상, 시각예술의 감상, 퍼포먼스 감상 등과 함께 적용할 수 있으며 예술적 활동에서 역동적으로 적용될 수 있는 유형이라고 하였다.

읽기를 통한 치료 중 예전에는 책을 읽는 행위 자체만으로 나타나는 효과에 중점을 두었다면, 최근에는 읽기가 구체적인 다른 활동과 함께 상호작용을 하는 것으로 점차 변화되고 있다(김현희, 2004). 다시 말해, 처방적 읽기치료(reading therapy)로 단순히 내담자에게 적절한 책을 권하여 읽도록 하는 것이 아니라 그것을 본 후에 토론이나 놀이와 같은 구체적인 활동을 통해 치료사와 내담자 혹은 집단에서의 활발한 상호작용을 함으로써 치료 효과를 더욱 높이고자 하는 것이다. 이에 대해 Rogers(2007)는 다른 예술 매체를 통한 탐색의 과정을 마친 후 이루어지는 글쓰기는 자기 발견에 매우 효과적인 방법이라고 하였다.

글쓰기는 인간의 표현활동의 한 방법으로서 본능적인 글쓰기, 창의적 글쓰기, 감정적 글쓰기, 자기 고백적 글쓰기를 포함한다. 진다연(2017)에 의하면 글쓰기를 통한 정서적 함양의 효과는 부정적인 정서와 감정 등을 표현하는 것으로부터 시작되며 이러한 표현으로서의 글쓰기를 통해 인간은 자아와 대면하는 기회를 얻을 수 있다.

Pennebaker와 Evans(2017)는 인간은 스트레스 상황에 놓였을 때 자신의 문제에 직면하고 관련된 생각과 감정 등을 표현하는 것을 통해 적응적인 생활로 돌아갈 수 있다고 하며 생각과 감정에 대한 글쓰기의 표현은 문제 상황에서 자기 인식과 통찰의 효과가 있다고 하였다. 이는 우리가 슬픈 영화를 보았을 때 슬픔이라는 감정에 더욱 빠져들지만 이러한 감정의 반응 후에 더욱 현명해지는 것을 느끼는 것과 같다.

하지만 글쓰기를 시작할 때 우리는 흔히 창작과 표현에 대한 부담감과 어려움을 느끼기 마련이다. 이러한 심리적인 압박감에서 벗어나 자유로운 표현으로서의 글쓰기를 위해서 McNiff(2014)는 형식에 구애받지 않은 상태에서 의식 속에 떠오르는 단어를 본능적 반응에 의해 적는 방법을 추천하였다. 마음에 떠오르는 심상과 단어, 소리, 생각들을 단순하게 기록하고 검열이나 평가의 과정 없이 그저 본능적인 반응을 느끼도록 하는 것이다. 또한 그는 글쓰기 활동을 신체적 활동과 연결하여 글쓰기와 다른 예술적 활동 분야의 통합이 내담자가 치료 과정에서 느끼는 저항을 감소시킬 수 있다고 하였다. 그는 글쓰기 활동을 그저 종이 위에 글을 적는 것이 아닌 움직임의 연장선으로 보고 손을 계속해서 종이 위나 키보드 위에서 움직이는 작업을 통해 너무 깊이 생각하는 것에서 벗어나 보다 창의적인 과정을 활성화할 수 있다고 하였다.

 4) 움직임(몸짓)

Rogers(2007)는 "움직이는 것은 삶 그 자체이며 산다는 것은 움직이는 것이다."(p. 63)라고 하였다. 몸짓은 본질적 욕구이며 내면의 상태를 나타내며 우리는 상대의 움직임과 호흡과 같은 신체 언어를 통해서 그 사람의 상태를 파악할 수 있다.

McNiff(2014)에 의하면 인간의 정신적 활동과 자의식에서 신체적인 기능으로의 이동인 몸짓은 인간이 가진 가장 기본적인 기능으로서 심리적으로 억제되었거나 표현이 제약되어 있던 것들로부터 편안해질 수 있도록 하며 이처럼 순수한 표현 방식의 움직임은 치료적 잠재성을 가지며, 표현예술치료에서 움직임이 가지는 가장 높은 가치는 언어와 개념에서 벗어나 세상과 타인, 자기 자신과의 관계와 감수성을 발전시킬 수 있도록 하는 데 있다.

김정향(2006) 또한 인간의 마음과 직결되어있는 표현행위로서의 움직임은 인간이 언어로 표현하기 어려운 억압된 감정들을 의식적, 무의식적으로 드러날 수 있도록 하며 이러한 '표현적인 움직임'은 예술치료의 방법으로서 중요한 의미를 담고 있다고 하였다. 즉 인간의 가장 기본적인 표현 방법인 움직임은 결국 자신의 마음과 신체에 대한 지각을 통해서 자신을 통합해 나가도록 하며 이러한 과정을 통해서 자아를 성장시켜갈 수 있게 한다.

앞서 McNiff(2014)는 그림 그리기 활동을 떠오르는 이미지를 예술 재료를 이용하여 단순하게 표면적으로 전달하는 시각적인 표현만이 아닌 일종의 운동성을 지닌 몸짓으로 연장하여 설명하였으며 이러한 의미의 그리기는 더욱 독창적이면서 창의적인 방법으로서 인간의 표현적 잠재성을 현실화시킨다고 하였다. Rogers(2007) 또한 예술은 또 다른 형태의 신체 언어라고 정의하였으며 자신의 동작을 의식하며 알아차린 심오한 느낌을 선과 색채, 형태로 표현하는 창조적 연결과정이 자기 탐색을 촉진시킨다고 하였다.

이와 같은 인간 내면의 본질적인 표현의 방법인 몸짓은 글쓰기나 그림과 같은 다른 형태의 예술적 표현을 자극하고 촉진시킨다. 이는 앞서 설명한 바와 같이 예술가들이 글을 쓰거나 그림을 그리기 전 동작을 통해 표현의 잠재성을 현실화시키고 다른 영역의 예술과 창조적 연결을 이루는 것과 같다.

7. 예술치료의 치료적 관계

심리치료를 받는 사람들, 즉 내담자는 대부분 그들의 삶에 일치되는 의미를 부여하지 못하고 우울감이나 위축, 불평이나 불만족, 분노 등의 감정들을 지니고 있다. 예술치료에서도 이와 같은 내담자와의 치료 과정에서 지지, 경청, 반영, 명료화, 해석, 직면 등 심리치료 분야와 동일한 기본적인 언어적 치료개입을 사용한다. 하지만 독립된 분야로서의 예술이라는 고유한 치료 기제가 존재한다(주리애, 2010). 따라서 예술치료가 지닌 기존의 심리치료와의 가장 큰 차이점은 치료사와 내담자의 특별한 관계 구조라고 할 수 있다.

예술치료는 <그림 2>와 같이 치료사와 내담자의 이자 관계에서 예술이라는 매체를 사용함으로써 삼각 구도로 이동, 변형된다. 예술치료에서 예술을 통해 삼자 관계가 형성된다는 것은 예술이 단순한 재료나 검사 자료, 진단 도구로써 사용되는 것이 아닌 내담자의 내면이 담긴 작품이자 하나의 독립적인 계체로서 중요하게 인식된다는 의미를 함축하고 있음을 알 수 있다.

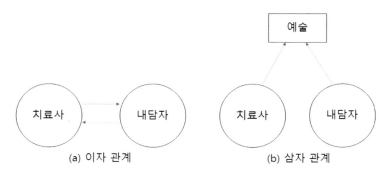

<그림 2> 이자 관계 vs 삼자 관계
출처: 주리애, 2010, p. 139

치료사가 없으면 내담자가 없고, 내담자가 없으면 치료사도 없다 (Levine & Levine, 2013). 내담자와 예술치료사 간에는 지속적인 움직임과 끊임없는 공명이 일어난다. 모든 물체와 대상은 고유한 진동이 있고, 여기에 외부의 힘이 가해질 때 에너지의 폭이 커지는 '공명'이라는 현상을 갖게 된다. 결국 우리가 살아가고 있는 세상은 함께 울림이 있을 수밖에 없는, 그 울림이 전달되고 서로 영향을 받을 수밖에 없는 복잡한 세계이다. 예술치료 안에서도 예술치료사와 내담자는 서로에게 고유의 진동으로 울림을 주어 공명하는 관계라고 할 수 있다. 예술치료에서도 내담자와 예술치료사의 관계를 치료 결과에 영향을 미치는 중요한 요인으로 인식하며 예술치료사의 역할과 전문성에 대한 논의를 강조하고 있다. 예술치료에 대한 이해를 돕기 위해서는 예술작업과 관련된 내용과 인간의 발달이나 정신병리와 같은 치료와 관련된 부분 외에도 예술치료사에 대한 이해가 매우 중요한 것이다(Wadeson, 2008).

　예술치료사는 개인의 고유한 가치, 잠재력과 창조성을 바탕으로 내담자의 삶의 주제와 관련하여 다양한 예술 매체를 접목해서 내담자의 변화와 성장, 예방과 치유 활동을 촉진하는 전문가로 예술 활동을 통해 정신적, 사회적 장애를 겪고 있는 사람의 심리를 예술을 매개로 치료하는 심리치료사(한국예술치료학회, 2010), 사회적, 심리적, 정서적 문제를 안고 있는 내담자들에게 예술 활동을 통해서 갈등 문제를 분석, 진단하고 치료하는 일을 하는 직업(워크넷)이라고 설명되고 있다.

　예술치료사와 내담자는 서로의 사이에 공동 창조된 세계, 즉 중간 공간을 만드는데 이 공간은 현실과 외부의 공간과 구별된다(Levine & Levine, 2013). 앞서 논의한 바와 같이 예술치료에서 놀이영역은 현실 세계에서 대안 세계로 넘어가는 완충 영역으로 가장 창조적이고 가변적인 대안과 상상이 가능한 시간과 공간이다. 치료에서의 놀이의식에 대해 Winnicott(1977)은 놀이는 저절로 발생하는 것이 아니라 두 사람이 함께 놀이해야 하며 치료사와 내담자의 놀이가 겹쳐지는 영역에서 가능하다고 하였다. 예술창작 혹은 놀이를 창조하기 위해 내담자와 치료사는 그들 사이에 창조한 영역으로 들어가는 것으로, 우리(치료사-내담자)의 세계, 우리의 이야기, 우리의 창작이 된다(Levine & Levine, 2013). 예술의 치료적 행위를 하는 데 있어 치료적 공간은 예술치료사가 존재하기에 생성될 수 있다. 예술치료사는 경계선, 과도기의 놀이 공간을 보유하고 있는 사람으로 보유한다는 것은 가능성의 실현을 위해 위험을 무릅쓰고 놀라운 일이 일어나는 것을 허락하고 격려하며 험난하고 예측 불가능한 여행을 지지하며 믿음과 희망을 가지고 동반해 나가는 것이다(Knill et al., 2011).

　예술치료는 내담자, 예술, 예술치료사로 이루어진 구조적인 특성이 있는데 다른 심리치료와 구별되는 핵심은 '예술'이 될 수 있겠으나, 앞서 언급한 바와 같이 예술치료사와 내담자의 치료적 관계역시 치료의 성과에 많은 영향을 미친다. 내담자에게 예술치료는 예술과의 혹은 예술 안에서의 만남인 동시에 치료사와의 만남이기도 하다. Sexton과 Whiston은 어떠한 치료적 시도든지 간에 치료의 성공은 개방적이고, 신뢰가 있는 협력적인 관계, 즉 치료적 동맹에 의해서 좌우되는데 내담자가 치료사와 동맹 관계를 이루지 못하면 형편없는 성과를 거둘 수밖에 없다고 말하며 내담자의 성장을 이루는 데 있어 치료사와의 관계가 매우 중요하다고 강조하였다(Skovholt, 2003, 재인용). 치료사와 내담자는 참여자이자 동시에 관찰자로서 치료적 변화의 주요 원천이 될 수 있는 관계(김희정, 2022)로 Gelso와 Cater는 치료적 관계란 상담자 및 치료사와 내담자 사이에 일어나는 서로에 대한 모든 감정과 태도, 행동이라고 하였다(이정숙, 2021, 재인용). Schmeer(2011)는 치료사와 내담자는 공동의 상호적 영향 주고받는 관계임을 <그림 3>과 같이 제시하고 있다.

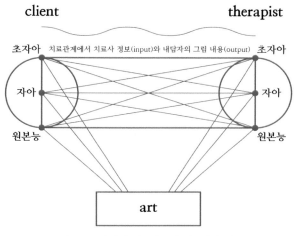

<그림 3> 내담자와 치료사의 체계적 관계
출처: Schmeer, 2011, p. 18

　치료사의 정신세계와 행동이 나타나는 의식과 무의식의 모든 과정은 내담자의 정신세계와 행동으로 나타나는 의식과 무의식의 모든 과정과 지속적으로 상호작용하여(Schmeer, 2011) 내담자의 신체적, 영적, 정신적, 창의적 과정에 영향을 미친다. 즉, 내담자와 치료사의 치료적 관계는 내담자와 상담자의 특성이 서로 상호작용하여 형성되고 유지되는 것이다. Skovholt(2003)는 치료적 관계에서 애착(attaching), 연결(connecting), 결속(bonding)이 치료사와 내담자가 연결되어 감정적인 산소를 공급하는 것과 같다고 하였다. 즉, 내담자와 치료사의 관계는 내담자에게 긍정적인 변화와 회복, 전인적인 성장을 가져오는 데 주요한 치료 요인이라고 볼 수 있다. 이처럼 내담자가 예술을 통해 자신을 표현한 작품은 분리된 대상으로서의 이미지 즉 타자로서 내담자로 하여금 조망의 기회를 제공하며 치료사에게도 내담자에 대한 직접적인 지각 외에 새로운 지각을 가능하게 한다(Edwards, 2012). 이러한 과정에서 치료사와 내담자는 예술을 통해 언어적 치료에서와는 다른 보다 넓은 지각을 경험하고 그에 관한 의사소통으로써 특별한 치료적 관계를 형성하게 되는 것이다.

마지막으로 Edwards(2012)가 설명한 <그림 4>의 미술치료에서의 삼자 관계를 통해 예술치료만의 구조적 특성 안에서 일어나는 치료적 과정을 이해할 수 있다.

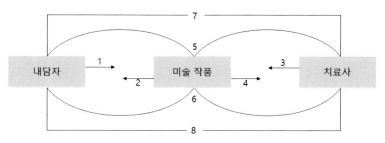

미술작품	1. 내담자의 표현 2. 내담자의 인상(시각적 피드백) 3. 치료사의 기대 4. 치료사의 지각
매개물로서의 미술작품	5. 미술작품을 통해 치료사에게 의사소통 6. 미술작품에 대한 반응을 통해 내담자에게 의사소통
직접적 관계	7. 내담자에 대한 치료사의 지각 8. 치료사에 대한 내담자의 지각

<그림 4> 미술치료에서의 삼자 관계
출처: Edwards, 2012, p. 125

미술작품은 내담자의 표현이면서 그에 대한 시각적인 피드백으로 내담자와 직접적인 관계를 형성하기도 하고 치료사는 작품을 통해 내담자의 행위를 기대하거나 지각할 수 있다. 또한, 매개물로서의 미술작품은 치료사와 비언어적 의사소통을 제공하며 내담자와는 작품에 대한 반응을 통해 내담자와 의사소통하기도 함으로써 내담자와 치료사 사이에서 새로운 관계를 형성하고 있음을 알 수 있다.

제 2장 단일 예술치료

1. 미술치료

1) 미술치료의 개념

미술치료(Art Therapy)는 그 이름과 같이 미술(art)과 치료(therapy)가 접목된 것으로서 미술이 지닌 학문적 개념과 치료가 지닌 학문의 개념은 그 범위가 매우 넓기 때문에 이론적, 방법적 관념과 기준이 다르므로 그 개념 또한 한 가지로 정의하기는 어렵다. 현재 미술치료의 명칭은 '미술치료'라는 하나의 용어가 아닌 미술심리상담, 예술치료, 표현치료, 창의적 매체에 의한 치료, 창의성 치료, 미술 매체에 의한 심리치료 등 매우 다양하게 사용되고 있으며(정여주, 2003) 이를 통해 미술치료가 다양한 방향성과 관점으로 사용되고 있다는 것을 짐작할 수 있다. 이에 미술치료의 개념을 이해하기 위해 미술치료에 관한 여러 학회와 학자들의 정의를 살펴보고자 한다.

먼저 미국 미술치료 협회(American Art Therapy Association : AATA)(2017)는 미술치료를 활발한 예술 제작, 창조적 과정, 응용 심리학 이론을 기반으로 한 심리치료 관계 내에서 이루어지는 인간 경험을 통해 개인과 가족, 공동체의 삶을 풍요롭게 하는 통합 정신 건강 휴먼 서비스라고 정의한다. 또한 미술치료는 운동감각적, 감각적, 지각적, 상징적 경험을 언어적 표현의 한계를 극복할 수 있는 대안적 방법으로서 통합적인 경험을 제공하고 시각적, 상징적인 표현을 통해 경험에 관한 목소리를 내게 하여 개인과 공동체, 사회 변혁에 힘이 되어 준다고 설명한다.

영국 미술치료사 협회(British Association of Art Therapists : BAAT)(n.d.)는 미술 매체를 사용하여 표현과 의사소통의 주요한 수단으로 사용하는 심리치료의 한 형태이며 여기서 미술은 진단 도구로 사용되는 것이 아닌 혼란스럽고 고통스러운 감정적 문제들을 다루는 매개체라고 정의한다. 또한, 미술치료는 정신분석의 영향을 받았으나 BAAT에서는 다양한 심리학 이론 및 신경과학과 미술치료의 연관성을 탐구하고 있다고 설명한다.

캐나다 미술치료 협회(Canadian Art Therapy Association : CATA)(2017)는 미술치료를 이미지, 색상 및 모양을 사용하는 창의적 과정과 심리치료를 결합하여 표현하기 어려운 생각과 감정을 표현함으로써 자기 탐색과 이해를 촉진하는 것이라고 정의한다. 따라서 미술치료사들은 상담 심리학과 미술에 관한 전문 지식을 가진 훈련된 전문가들이어야 한다고 말한다.

다음으로 학자들의 견해를 살펴보면, Kramer(2007)는 미술이 삶의 경험을 창조하는 것으로 인간의 경험을 확장시키는 수단이며 표현과정에서 경험을 선택하거나 바꾸거나 되풀이할 수 있다고 강조하며 이러한 미술이 지닌 내재적인 치료의 기능을 중시하였다. 즉 그는 내담자가 미술작업 과정에서 내적 충동이나 갈등을 재경험함으로써 그것을 해결하고 통합하게 된다고 보았으며, 따라서 미술치료는 내담자가 제작한 작품을 해석하는 것이 아닌 자기표현을 통한 승화와 통합의 과정을 돕는 것이며 내담자의 미술 창작 과정 자체라고 하였다.

Malchiodi(2004)는 "미술치료는 개인의 성찰과 통찰, 변화를 위해 미술의 비언어적 언어를 사용하는 방법이며, 생각, 감정, 지각 같은 우리의 내면세계를 외부의 현실 세계 및 인생 경험과 연결시키는 수단"(p. 7)이라고 정의하였다. 또한 그는 미술치료는 치료 관계에서 모든 개인의 심리적, 신체적, 인지적, 영적 건강을 유지하거나 개선할 수 있도록 지원하는 시각 예술과 창조과정의 융합 프로그램이며 치료 관계로서 미술치료는 미술치료사의 전문성을 기반으로 내담자의 창조과정과 표현을 안내하고 증진하고 반응하는 대인관계 경험이라고 말한다.

주리애(2002)는 미술치료의 본질은 내담자의 미술작품과 창작 과정, 창작 후 과정을 포괄하는 미술을 매개로 치료하는 것이라고 말한다. 하지만 단순히 미술 활동을 하는 것이 미술치료는 아니며 미술 활동이 치료가 되기 위해서는 그 과정에서 마음이나 심리 작용에 대한 치료 의도를 지니고 영향을 미치는 과정이어야 한다고 말한다.

이처럼 학회, 학자들마다의 미술치료 정의는 다양하다. 지금까지 설명한 미술치료의 여러 학회와 연구자의 정의를 요인과 목적으로 나누어 정리해보면 <표 2>와 같다.

<표 2> 미술치료의 요인과 목적

	미술치료의 요인	미술치료의 목적
미국 미술치료 협회 (AATA)(2017)	예술 제작, 창조적 과정 응용심리학 시각적·상징적 표현	통합적 경험 개인, 공동체, 사회 변혁
영국 미술치료사 협회 (BAAT)(n.d.)	표현과 의사소통의 수단 감정적 문제를 다루는 매개체 심리학 이론 신경과학	심리치료
캐나다 미술치료 협회 (CATA)(2017)	창의적 과정 생각과 감정 표현 상담 심리학 미술적 전문 지식	심리치료 자기 탐색 이해 촉진
Kramer (2000/2007)	미술 창작 과정	문제 해결과 통합
Malchiodi (1998/2004)	시각예술과 창조과정의 융합	심리적, 신체적, 인지적 영적 건강 유지 및 개선
주리애(2002)	미술작품 창작 과정 창작 후 과정	마음과 심리 작용에 대한 치료

<표 2>에서 정리된 미술치료의 치료 요인을 살펴보면 '심리학', '표현'과 '창조', '창작'이라는 단어가 반복해서 거론되고 있음을 볼 수 있다. 이는 미술치료가 심리학 이론을 기반으로 하되 미술이 지닌 고유한 창조과정의 중요성, 즉 미술치료가 단순한 '치료'가 아닌 내적 표현과 창조로써 '미술'의 영역을 반드시 지니고 있어야 한다

는 공통된 합의점을 지니고 있음을 의미한다고 볼 수 있다. 또한 미술치료의 목적을 살펴보면 '통합', '치료'와 '건강'이라는 주요 키워드가 반복되는 것을 볼 수 있다. 이로써 미술치료는 '통합'과 '치료', '건강'이라는 목적을 위해 '미술'의 치료 요인을 사용하는 것이라고 정의할 수 있겠다.

2) 미술치료의 등장

미술치료는 미술사조와 정신의학, 심리학 분야의 다양한 흐름이 만나 이루어졌다. 먼저 미술치료의 태동에 영향을 미친 미술사조의 흐름을 살펴보면 18세기 이후의 낭만주의와 표현주의, 초현실주의와 아웃사이더 아트에 이르기까지 미술의 변화와 그에 따른 시대사조로 볼 수 있다(주리애, 2010; Malchiodi, 2004).

각각의 미술사조의 특징을 살펴보면, 낭만주의 시대 이전의 미술은 보이는 것을 그대로 재현하듯 그리는 미술이었으나 낭만주의부터 보이는 것이 아닌 느껴지는 것을 그리는, 즉 객관적 묘사가 아니라 주관적인 것을 표현하는 미술로 변화되었다. 표현주의는 미술의 대상이 바깥세상이었던 것에서 인간 내면으로 변화되었으며 이에 표현주의에서는 인간의 여러 감정을 어떻게 표현하고 전달할 것인가를 주제로 그림을 그리게 되었다. 따라서 표현주의 화가들은 감상자들에게 서정적 감흥과 감정의 교류를 제시하기 위해 추상적인 형태와 순수한 색을 사용하였다(Malchiodi, 2004). 제1차 세계대전이 일어난 후 인간의 이성적이고 합리적인 사고를 추구하였던 실용주의와 실증주의에 대한 반동이 생겨났으며 이러한 흐름은 Freud의 정신분석 이론에 기초한 인간 내면의 무의식에 관한 관심과 함께 초현실주의의 흐름으로 이어졌다. 따라서 초현실주의 시대에 들어서는 무의식이 인간을 자유롭게 하는 힘의 원천이자 예술의 원천이라고 여겼으며 자유연상과 같은 즉흥성을 띠거나 꿈속과 같은 환상적이면서도 충격적인 내용을 담은 작품을 만들고자 하였다(Malchiodi, 2004).

더불어 90년대 초에는 미술에 관한 정신병리학적 관심들이 높아지기 시작하여 몇몇 의사들이 정신질환자들의 미술 작품집을 출간하였는데 그중에서도 1922년에 Hans Prinzhorn이 출간한 '정신병자의 조각품(Bildnerei der Geisteskranken)'과 '광기의 표현(Expressions de la folie)'은 당시 아방가르드 미술가들에게 영감을 주었다(월간미술, 1999). 아방가르드 미술가 중에서도 특히 Jean Dubuffet는 제2차 세계대전 직후 정신과 환자들과 어린이, 그리고 미술교육을 받지 못한 사람들의 미술작품을 수집하여 전시를 열기도 하였는데 그는 세련되지 않고 비전문적인 거친 형태의 작품이 미술이 미적 영감이 된다고 하였다. 그는 그러한 미술에 대해 고도로 훈련된 직업 화가들의 미술보다 길들여지지 않은 날 것으로서의 순수한 상태를 지칭하는 말로 아르브루(Art Brut)라는 용어를 만들었으며 이의 영어 표현이 바로 아웃사이더 아트(Outsider art)다(주리애, 2010; Malchiodi, 2004). 아웃사이더 아트는 창조적 경험이 환경이나 장애를 초월하여 모든 사람이 공유하는 것이라는 점을 인식하게 하였으며 나아가 정신질환자와 장애인, 노인, 재소자 등 사회적으로 소외된 사람들이 예술적 표현을 경험하고 전개해갈 수 있는 환경을 마련하는 데 매우 중요한 역할을 하였다.

다음으로 미술치료의 시작에 관한 흐름을 정신의학과 심리학적 관점에서 살펴보면, 18세기 이전 인간은 정신질환을 악마의 힘이나 신성한 힘과 같은 것으로 취급하였다. 정신질환에 대한 이러한 오해는 사람들로 하여금 그것을 두려움의 대상으로 여기게 하였고, 이에 환자들은 적절한 치료를 받을 수 없었다. 하지만 18세기 후반, 정신질환 환자들의 인권을 주장하는 '도덕적 치료' 운동이 시작되었으며 특히 미국의 Benjamin Rush와 프랑스의 Philippe Pinel 같은 개혁가는 환자들을 위한 인간 중심적 치료 환경 조성에 기여했다. 또한 Freud와 같은 치료사들은 이론에 입각한 치료와 회복을 연구하기 시작하였다(Rubin, 2010). 이처럼 정신장애의 특성을 규명하고 체계적으로 분류하려는 정신의학 연구와 인간을 전문적으로 이해하고자 했던 심리학의 연구는 정신질환에 대한 전문적인 치료의 길을 열었다.

특히 정신질환에 관한 이론들이 구축되기 시작하면서 환자들의 미술작품에 담긴 특정한 미적 표현이 정신건강과 이상이나 혼란의 증명 자료로 활용될 수 있는지를 연구하기 시작하였고 연구자들은 치료의 도구로서 미술이 지닌 잠재성을 발견하고 인정하기 시작하였다(Winnicott, 1971). 인간의 정신적 문제를 심리적인 관점으로 접근하고 치료하려는 이와 같은 움직임 속에서 그 노력의 일환으로 미술치료가 탄생되었다(주리애, 2020).

이후 인간의 정신 문제에 대해 미술이 지닌 치료적 힘은 여러 문화를 통해 널리 알려졌으며 나라마다 미술치료의 기원이 다르지만 임상차원의 접근으로 받아들이기 시작한 것은 19세기 후반으로 볼 수 있다. 특히 당시 독일의 정신병원에서 미술 활동이 환자들에게 미치는 정서적 효과에 대해 의사들이 미술작업을 작업치료의 한 부분으로 받아들이기 시작하였는데, 바로 이를 미술치료의 시작으로 볼 수 있다(정여주, 2003).

더불어 19세기 후반에는 미술치료의 필요성이 일반적으로 대두될 수밖에 없었던 시대적이고 사회적인 특성이 있었다. 급속한 산업화로 노동의 형태와 생산 구조가 변화됨에 따라 인간의 생활 양상이 변하면서 점차 인간 또한 수단화되어 가고 고유한 인간성마저 변질되는 현상이 나타났으며 이처럼 급변하는 사회의 흐름은 인간이 환경에 적응하며 살아가는 데 어려움을 느끼며 존재마저 소외되어 가는 결과를 초래하였다. 즉, 기술이 발달됨에 따라 인간의 정신병리적 현상이 함께 증가하게 된 것이다(정여주, 2003). 이러한 사회 현상에 따라 인간을 인간답게 할 수 있는 미술의 힘이 더욱 필요하게 되었다.

같은 시기, 미술치료의 탄생과 발전에 가장 큰 영향을 끼친 학문은 인간의 내면에 무의식이 존재한다는 것을 발견하고 그것을 의식하는 것을 치료의 방법으로 다루었던 정신분석 이론이다(주리애, 2020). Rubin(2015)은 인간이 무의식에 매료되지 않았다면 치료를 위한, 치료로서의 미술을 발견하지 못했을 것이라고 말한다. 그만큼 미술치료의 근원이 되는 이론이 바로 정신분석이론이며 이로 인해 창의력과 심상의 원천을 탐구하는 예술가들의 행위가 정신분석과 연결됨으로써 인간 내면세계의 탐구와 성찰, 통찰, 표현 등의 분명한 심미적 목적이 있음을 인정받게 되었다.

이처럼 미술치료의 뿌리를 찾다 보면 정신분석 이론을 시작한 Freud와 Jung까지 거슬러 올라가지만, 최초로 미술치료라는 명칭을 사용한 것은 1942년 결핵 환자에게 그림을 그리도록 한 논문을 발표했던 영국의 Adrian Hill이다(Edwards, 2014). 같은 시기에 미국에서는 Margaret Naumburg가 자신의 작업과 치료적 양식에 미술치료라는 이름을 붙여 사용하였으며 미술치료가 전문 분야로서 자리 잡을 수 있도록 개척자의 역할을 하였다(주리애, 2002; 최윤희, 김갑숙, 최외선, 2005). Malchiodi(2012)에 의하면 미술치료 연구는 공식적인 훈련과정이 없었기에 초기 학자들은 정신과 의사나 분석가, 혹은 정신건강 전문가에게 지도를 받는 등 각기 다른 영역에서 훈련을 받았으며 이후 20세기 중반부터는 심리상담소의 치료사들이 내담자와의 치료 과정에서 미술치료라는 이름을 사용하였다고 한다. 이렇게 시작된 미술치료는 1961년에 미국 미술치료전문지(American Journal of Art Therapy)가 창간됨에 이어 1969년에는 미국미술치료학회(American Art Therapy Association : AATA)가 설립되는 등 1960년대에 접어들면서 더욱 전문적인 성장을 이루며 전문화된 학문으로 자리 잡게 되었다(최윤희, 김갑숙, 최외선, 2005).

3) 미술치료에서 미술의 역할

가. 의사소통의 도구와 해석의 미술

미술치료에서의 미술이 사용되는 방식을 분류해보면 먼저 상징적 의미에 대한 의사소통 도구로서의 미술(Malchiodi, 2004)을 들 수 있다. 이는 정신분석과 같이 인간 내면의 무의식을 이미지의 형태로 표현하도록 하고 그것을 자료로 활용하는 방식이다. 따라서 여기서 미술은 무의식에 대한 상징적 표현, 즉 투사로서의 미술이며 미술치료는 그러한 미술을 활용하여 내담자와 대화하는 과정이 되는 것이다.

주리애(2002)는 미술작업이 또 하나의 자아라고 말한다. 즉 내담자의 투사로서의 미술작품은 또 다른 존재적 가치를 지닌 객체로서의 대상이 되는 것이다. 또한 그는 이러한 이미지를 매개로 미술치료사와 상호작용 함으로써 의식 아래에 있던 것들이 명료한 의식의 영역으로 떠오르게 되고 바로 이때 내담자는 깨달음과 함께 정서적 카타르시스를 경험하면서 자신을 만나게 된다고 설명한다. 김현미와 장연집(2015) 또한 미술치료에서 내담자의 언어적 표현과 미술작업을 각 각의 독립된 영역이 아닌, 내담자가 미술작업을 통해 내면을 표현하고 그 이미지를 언어적으로 표현함으로써 무의식의 영역에 있던 갈등의 근원이 의식의 영역으로 이동하는 일련의 과정으로 본다.

이와 관련하여 창작 이후 과정으로 '제목 짓기'에 관해서도 생각해 볼 수 있다. Langer(2009)는 우리가 아무리 강렬한 경험을 하더라도 그것에 이름을 붙이지 않으면 관념이 형성되기 어렵다고 말하였다. 따라서 내담자에게 자기 작품의 제목을 짓도록 하는 것은 내담자가 창작 작업을 하는 동안 의도하거나 의식했던 부분과 차마 의식하지 못했던 부분이 집약되어 언어적으로 표현됨으로써 의식화 및 구체화를 돕는다(김현미, 장연집, 2015; 주리애, 2002).

미술작품에 대한 의사소통의 중요성에 대해서 Malchiodi(2004)는 우리가 생각하고 느끼는 시각적 이미지의 일반적 상징이 있지만, 미적 표현에는 보편적 상징을 넘어선 지극히 개인적인 영역이 포함되어 있다고 말한다. 이는 개인을 둘러싼 배경과 문화, 그에 따른 경험이 각기 다른 표현의 방식으로 작품에 배어 나올 수밖에 없기 때문이며 그렇기에 작품을 만든 이와 그것을 바라보는 이는 그들의 경험에 따라 완전히 다른 해석을 할 수밖에 없다. 따라서 그는 내담자가 자기 작품에 대해 생각해 볼 수 있도록 하고, 작품의 의미에 대한 대화를 나누어야 한다고 설명한다.

이처럼 미술작품은 내담자와의 의사소통이 원만하지 못할 때나 겉으로 잘 드러나지 않는 잠재적인 문제를 탐지하고자 할 때 사용할 수 있는 매우 유용한 의사소통 방식이며(주리애, 2002) 내담자의 문화적 차이를 이해할 수 있는 정보를 제공하는 수단이기도 하다. 즉 미술치료 과정에서 내담자의 작품에 대한 의사소통을 통해 작품과 내담자를 분석하는 것이 가치가 있는 것은 분명하다.

하지만 작품에 대한 과도한 해석과 분석을 비판하는 주장도 있다. Moon(2003)은 이미지는 살아 있는 것이고 그것을 해석하는 것은 이미지를 죽이는 것이라고 하였으며 McNiff(1991) 또한 이미지는 자율적인 개체여야 한다고 주장한다. 하세경(2003)은 미술치료에서 미술의 역할이 분석과 해석의 도구적 역할로 한정될 경우, 미술 언어가 일반적인 언어와 다름이 없어져 미술이 지닌 가치가 상실될 수 있다고 말한다.

나. 그림 검사 - 진단 도구로서의 미술

미술치료에서 미술은 작품에 대한 해석 외에 심리측정과 임상적 진단 도구로 사용되고 있다. 진단을 위한 투사적 그림 검사는 크게 주제가 없는 검사와 주제가 있는 검사로 나뉘는데 대표적인 종류를 살펴보면 먼저 주제가 있는 검사로 인물화검사(Draw a Man Test)와 집-나무-사람검사(House-Tree-Person Test: HTP), 동적 집-나무-사람검사(Kinetic-House-Tree-Person Test: KHTP), 동적 가족화(Kinetic Family Drawing: KFD), 빗속의 사람(Person in the Rain: PITR) 등이 있고 주제가 없는 검사로 자유화, 난화, 그림보충검사 등이 있다.

이미 많은 심리학자, 상담사, 의사, 임상심리학자들이 로르샤흐 검사(Rorschach test)를 비롯하여 위에 제시된 그림 검사를 진단을 위한 도구로 사용하고 있다(Malchiodi, 2004). 여기서 미술은 발달심리학, 정신분석학, 분석심리학, 정신병리 등의 이론에 근거한 해석기준을 통해 내담자 혹은 환자의 지능, 정서, 발달 정도, 사회성 등을 측정하는 도구로 사용되고 있으며 이처럼 미술이 진단적 도구의 역할을 할 수 있는 이유는 직접적인 언어를 사용할 때보다 이완된 상태에서 무의식의 영역까지 포함한 개인적인 진술을 가능하게 하기 때문이다(정여주, 2003).

　하지만 그림 검사에 대한 학자들의 의견 또한 분분하다. 그림 검사가 단순한 방식의 심리검사 도구로 이용되는 것에 대한 문제를 제기하기는 학자들도 있고 심지어 몇몇 학자들은 그림 검사의 타당도를 부인하기도 한다. 이에 정여주(2003)는 그림 검사를 이용한 진단은 풍부한 지식과 경험, 지혜를 바탕으로 이루어져야 한다고 강조하였으며 주리애(2002)는 그림 검사를 해석할 때는 그림과 행동 특징 두 가지 중 어느 한쪽에 치우쳐서는 안 되고 그림의 형식과 내용 두 가지 부분 중에서도 어느 한쪽에 치우치거나 생략하지 않아야 한다고 설명한다. Malchiodi(2012)는 치료사가 공식처럼 그림을 해석하는 것이 아니라 그림의 '이미지 언어'로서의 기능과 마찬가지도 그림 검사에서도 그림을 두고 내담자와 상호작용이 활발하게 이루어질 때 더욱 풍요로운 정보를 얻을 수 있다고 하였다.

　다. 표현과 통합의 미술

　Kramer(2007)는 삶에서 받을 수밖에 없는 과잉 자극에 대해 당당하게 맞서거나 적절하게 지각하고 반응하지 못할 때 인간은 정서적 죽음의 상태와도 같으며 바로 이러한 불편한 자극과 그로 인한 혼란과 같은 경험은 심상으로 표현되었을 때 이해할 만한 것들이 된다고 하였다. 즉 현실과 동떨어진 상징적이고 추상적인 틀을 제공하는 미술은 죄책감이나 불안, 두려움 없이 무의식을 포함하는 것들을 표현하는 경험을 즐길 수 있도록 한다(Kramer, 2007). 여기서 우리는 미술을 통해 '표현'하는 것이 미술치료의 중요한 핵심적 치료 요소라는 것을 알 수 있다. 하지만 내담자들은 표현한다는 것을 어려워하는 경우가 많다. 표현이 무엇이며 어떻게 해야 하는 것인지를 어려워하거나 작품의 아름다움에 대해 걱정하고 연연하기도 한다(주리애, 2002, 2010). 따라서 미술치료사는 미술치료에서의 표현이 치료적으로 효과가 있는 과정이 되도록 해야 하는데 이에 관하여 주리애(2010)는 미술치료에서 치료적으로 의미 있는 미술작업이 되기 위한 요소를 제시하였다.

그 내용을 살펴보면, 첫 번째는 자기 마음, 특히 감정을 표현해야 한다는 것이고 두 번째는 표현에 있어서 솔직하고 정성을 기울여야 한다는 것이다. 창작 과정에서 감각경험에 중심을 두느냐 혹은 승화 과정에 중심을 두느냐에 따라 치료의 성격과 과정상 목표는 조금 달라지며 둘 중 어느 것에 중심을 두든지 내담자는 그 과정과 행위에 몰입할 수는 있다. 하지만 '열심'과 '정성'이 다르듯 '몰두'와 '정성'은 차원이 다르다. 내담자는 감각경험 속 몰입에서 자기 내면을 표현하고 카타르시스를 얻을 수는 있지만, 승화는 얻을 수 없으며 승화를 위해서는 더욱 정성을 들여야 한다는 것이다.

Malchiodi(2004)도 미술치료의 미술작업에는 외부 세계가 아닌 개인 내면의 느낌과 생각, 경험에 중점을 두고 그것으로부터 나오는 이미지를 표현하는 데 초점을 맞춰야 한다고 하였으며, Ulman과 Levy(1980), Kramer(2007) 또한 내담자들이 기술적, 지적, 상상적, 정서적으로 고양된 창작자와 같은 상태로 자기 내면에서 복잡한 과정을 거친 뒤에 나오는 깊이 있는 표현을 해내는 창작 과정과 그 결과가 미술치료로서의 진가를 발휘할 수 있게 된다고 말한다. 즉 깊이 있는 내면적 표현으로서의 미술이야말로 미술치료에서 가치가 충분하다는 것이다.

Langer(2009)는 미술의 본질적 기능이 인간의 경험을 구체화하여 숙고하고 이해할 수 있도록 하는 것이라고 말한다. 삶의 모습과 자취는 시간과 공간을 뛰어넘어 동시에 혹은 연속해서 일어난다. 미술 또한 다른 시간과 공간을 동일한 공간에 표현할 수 있다. 나아가 미술은 하나의 작품 안에서 미움과 사랑, 절망과 희망 같은 양립될 수 없는 것들을 함께 표현하고 합성할 수 있도록 한다(Rubin, 2015).

이처럼 진정한 내면을 표현하는 미술작업 과정은 끊임없는 노력이 필요한 통합의 과정이며(Ulman & Levy, 1980) 의미를 담아 표현된 미술작품을 거리감을 두고 인지적인 측면으로 바라보는 것과 정서적으로 가까운 경험이 통합되면 개인은 자신의 내부에서 그리고 다른 사람과의 관계에서 어떤 일이 일어나는지를 완전하게 이해할 수 있게 되고(Rubin, 2008) 자신을 이해하는 직관력을 경험하게 되는 것이다(Malchiodi, 2004).

2. 음악치료

1) 음악치료의 개념

모든 예술치료가 그러하듯 음악 또한 음악을 구성하는 요소가 복잡하고 참여 방식도 다양할 뿐 아니라 치료의 대상도 매우 광범위하기 때문에 음악치료를 한마디로 정의 내리기는 어렵다. 세계 음악치료학의 선구자 역할을 했던 미국음악치료협회(American Music Therapy Association, n.d)는 음악치료의 정의를 다음과 같이 설명한다.

> 음악 치료는 승인된 음악 치료 프로그램을 이수한 자격을 갖춘 전문가가 치료 관계 내에서 개별화된 목표를 달성하기 위해 음악 중재를 임상 및 증거 기반으로 사용하는 것이다. 음악 치료 중재는 다양한 건강 관리 및 교육 목표를 다룰 수 있다.

Bruscia(1998) 또한 음악치료가 전혀 다른 배경인 '음악'과 '치료'라는 두 단어가 만났기 때문에 정의가 어렵다고 하였다. 그는 음악치료를 치료사가 환자의 건강 회복을 위해 음악 경험과 음악을 활용한 관계를 통해 역동적 변화를 돕는 체계적인 치료 과정이라고 정의하였다.

위의 두 정의에서 알 수 있듯이 음악은 음악치료의 가장 중요한 도구이다. 실제로 음악치료사는 내담자와의 대화나 심리치료에 집중하기보다는 음악적 경험으로 내담자와 치료적 관계를 형성한다. 치료 관계 형성 후에도 치료 목적 달성은 음악 경험을 통해 이루어진다(최병철 외, 2021). 여기서 말하는 치료적 음악 경험은 다음 장 '음악치료의 모델과 치료적 음악 경험'에서 자세히 설명하고자 한다.

원시시대 이래부터 음악은 질병의 치료를 위한 영적이고 신비로운 경험으로 사용되어왔으며 근대에 이르러 치료의 전문 분야로서 자리 잡게 되었다. 그 태동은 제1차, 제2차 세계 대전으로 볼 수 있으며 특히 제2차 세계대전에서 부상병의 위문을 위한 음악 활동이 치료 향상에 효과적인 영향을 미친다는 것에 주목하게 되었다. 이에 병원에서 활동할 음악인 파견 요청이 들어오게 되었고(Ainlay, 1948) 오늘날의 음악치료로 발전하게 된 것이다.

하지만 음악치료가 학문과 임상 영역에서 전문적인 분야로 자리 잡기까지 많은 과정을 거쳐야 했다. Gaston(1968)은 초기 음악치료의 발달과정 단계를 세 단계로 정리하여 설명한다. 초기에는 음악의 영향력 자체에 집중하다 보니 치료사 역할의 중요성을 인식하지 못했다. 그다음 단계로 이제 치료사가 내담자와의 일대일 관계에 집중하다 보니 정작 음악이 무시되는 경향이 나타났다. 그리고 마지막 단계로 양극단과도 같은 앞선 두 단계의 간격이 좁아지면서 음악의 활용, 치료사와 내담자의 관계 형성을 적절히 유지하고 사용하게 되었다.

음악치료가 처음으로 자리 잡은 미국에서는 1940년대 음악치료 강의와 전공학과가 대학에 개설되기 시작하였고 1950년 전국음악치료협회가 설립되면서 활발하게 보급되었다. 우리나라 음악치료의 시작은 보는 관점이 다를 수 있으나 1992년에 한국음악치료학회가 설립되면서 전문적 음악치료 연구가 실천되었으며(김군자, 1998), 1997년 국내에서 최초로 숙명여자대학교에서 음악치료대학원이 설립되었으며 그 뒤로 여러 대학에서 학위 과정이 개설되었다. 우리나라 음악치료는 미국의 영향으로 교과목 구성과 실습, 인턴 과정이 미국과 유사한 형태를 띠고 있다(최병철 외, 2021).

앞서 설명한 바와 같이 음악치료는 병원에서 시작되어 발달해왔고 적용 방식 또한 의학 모델에 두었지만, 현재 임상 현장에서의 음악치료는 행동과학 영역을 기초로 한다. 즉 음악치료는 대상의 인지, 정서, 행동이라는 세 가지 영역의 행동 변화에 초점을 둔다(최병철 외, 2021).

또한, 음악치료는 음악이 지닌 기본적인 힘과 기능을 전제로 하는데 첫 번째는 생리적인 면으로 음악이 호흡, 혈압, 맥박속도, 뇌파, 근육 및 피부 반응에 영향을 미친다는 것이며 두 번째는 정서적인 면으로 인간의 정서와 행동에 영향을 미친다는 것이다. 마지막 세 번째는 사회적 반응으로 노래를 통해 자신과 사회 현상을 표현해온 인간은 곧 음악을 통해 타인과 의사소통하는 사회적 반응에 대한 힘과 기능이 있음을 의미한다(최병철 외, 2021).

2) 음악치료의 모델과 치료적 음악 경험

치료적 음악 경험은 음악치료에서 내담자(음악치료에서는 주로 클라이언트라고 한다)의 의미 있는 음악 경험을 의미한다. 최병철 외(2021)에 의하면 음악적 경험은 즉흥, 재창조, 작곡, 감상의 네 가지로 뚜렷하게 나뉘며 이는 각기 고유한 특성과 참여 과정을 지닌다. 또 각기 다른 지각적·인지적 기술을 요구하기 때문에 다른 감정을 유발한다. 즉 음악적 경험의 영역은 각각 고유한 치료 잠재성과 적용을 지닌다. 다음은 각 최병철 외(2021)가 제시한 영역에 대한 자세한 설명이다.

가. 재창조 경험

재창조 경험은 음악치료에서 가장 일반적으로 실시되는 음악 활동 중 하나로 여기에는 기타나 피아노와 같은 악기를 가르치고 배우는 활동과 핸드벨과 같은 악기의 집단 연주 활동, 합창을 모두 포함한다. 이러한 재창조 경험은 자신의 소리와 타인의 소리를 들으며 화합하여 곡을 완성하는 과정이기 때문에 자연스럽게 사회 교류의 경험을 유도한다. 또한, 지시를 따라야 하기때문에 인지 기능을 촉진시키고 집중력 향상, 기다리기 등 기본적인 사회적 행동 발달에 도움이 된다(권주희, 2010). 따라서 재창조 경험은 주로 특정 기술이나 역할 행동의 개발을 위한 구조가 필요한 내담자에게 주로 실시된다. 더불어 자시 정체성의 이해와 타인의 이해를 통한 적응력 향상이 필요한 내담자, 공동체 안에서 공동의 목표를 위해 함께 협력하는 것을 학습해야 하는 내담자에게도 실시될 수 있다.

이러한 재창조 경험은 다음과 같은 기본적인 치료의 목적을 가진다. 첫 번째는 감각 운동 기술의 발달이다. 두 번째는 시간에 정연하며 적응적인 행동을 촉진하는 것이다. 세 번째는 현실감각과 주의력 개선, 네 번째는 기억 기술을 발달시키는 것이다. 다섯 번째는 타인과의 일체감 경험과 감정의 이입을 촉진하는 것이며, 여섯 번째는 자기 생각과 감정을 해석하고 효과적으로 전달하는 기술을 발달시키는 것이다. 일곱 번째는 다양한 대인관계와 교류의 상황에서 구체적인 행동과 역할을 학습하는 것이며 마지막 여덟 번째는 상호 교류에 관한 집단 기술을 개선하는 것이다.

나. 즉흥적 경험

즉흥적 경험 또한 재창조 경험과 더불어 음악 활동에서 일반적으로 사용되는 방법 중 하나이다. 여기서 즉흥 연구는 악보를 보면서 연주하는 것이 아닌 즉흥적인 연주나 소리 등을 사용하여 음악의 형태를 만드는 음악 활동을 진단평가와 치료평가에서 사용하는 경우를 의미한다.

건강한 삶, 적응적인 삶은 주어진 환경에서 주어진 삶을 받아들이고 새롭게 창조해 가는 것을 말한다. 음악치료의 즉흥연주가 담고 있는 중요한 의미는 주어진 상황, 즉 주어진 삶에서 완전한 경험을 하도록 한다는 것이다. 내담자는 치료사가 제한한 조건 안에서 연주한다. 그리고 그 조건 안에서 다양한 가능성을 찾고 창조하게 된다. 다시 말해서 내담자는 어떠한 구조를 가지지만 그 속에는 자유가 공존한다. 이는 음악적 환경으로 주어지는 즉흥연주의 상황에서 내담자가 '무엇을 어떻게 한다'라는 것은, 곧 어떤 삶을 창조하는지를 의미하는 것이 된다.

음악치료에서 즉흥연주는 임상 현장에서 다양하게 시행되고 있으나 대표적인 모델로 다음의 네 가지가 있다.

① 창조적 음악치료(Creative Music Therapy: Nordoff-Robbins Model): 창조적 음악치료 모델은 모든 사람에게는 '음악아(music child)'가 있다고 믿으며 이름 그대로 치료적 음악을 연속해서 창조하며 내담자가 적극적으로 음악 만들기에 관여하도록 한다(고명한 외, 2014). 또한 이 과정은 적극적이고 표현적 창조로 초점을 맞춘다(김봉연, 2003). 창조적 음악치료는 여러 명의 치료사가 함께 진행하는 방법이다. 한 명의 치료사가 피아노를 연주하며 내담자와 치료적 음악을 경험하면 다른 치료사는 전형적으로 북이나 심벌을 사용하여 내담자가 피아노 연주가 유도하는 반응을 할 수 있도록 돕는 역할을 한다. 여기서 북이나 심벌과 같은 악기를 사용하는 이유는 악기의 특성상 말이나 글의 마침표나 느낌표 같이 사용되기 때문이다. 이러한 창조적 음악치료는 내담자에게 음악적 반영과 반응을 일으키고 음악으로 자유로움을 표현하도록 하여 내적 반응을 발달시킨다.

② 분석적 음악치료(Analytical Music Therapy-Priestley Model): 분석적 음악치료 모델은 무의식적인 악기의 사용과 연주는

그의 무의식, 즉 무의식적 욕구, 요구, 동기, 소망 등을 반영한다고 믿으며 이처럼 무의식을 반영하여 의식으로 일깨워 주는 음악의 기능을 즉흥연주 방법으로 활용하고 있다. 분석적 음악치료는 내담자가 자기 내면을 표현하는 기회를 제공하는 방법으로 단어와 상징적 즉흥연주를 사용한다. 그 과정은 Freud와 Jung의 이론을 기반으로 한 네 단계로 진행된다. 첫 번째, 내담자와 치료사는 내담자의 감정적 문제를 확인하고 즉흥연주의 제목을 짓는다. 두 번째, 즉흥연주에서의 역할을 함께 정한다. 세 번째, 제목과 역할에 맞추어 즉흥연주를 한다. 네 번째, 연주를 마치고 토의(언어화)한다(고명한 외, 2014).

③ 실험적 즉흥연주(Experiment Improvisation-Riordan-Bruscia Model): 소리, 몸동작, 기악 등 개인이 경험한 음악과 음악적 표현은 집단원과 나누고 새로운 집단즉흥연주를 통해 새로운 음악적 경험을 시도하는 모델이다. 즉흥연주에서 내담자가 연주하는 악기의 소리는 내담자의 내적 정체성을, 음악적 교류는 사람들과의 관계를 의미한다. 집단은 연주의 주제가 분명해지고 서로 간의 연결이 일어날 때까지 경험을 이야기하고 반응하기를 반복한다.

④ 임상적 오르프-슐베르크 즉흥연주(Clinical Orff-Schulwerk Impovisation-Orff, Bitcin, Lehrer-Carly Model): 시나 운율, 게임이나 짧은 노래, 동작을 도구로 사용하는 모델로, 말이나 노래, 손뼉, 발 구르기, 북이나 막대기, 종 등을 사용하여 반주한다. 오르프-슐베르크 접근법 또한 창조적 표현과 창의성을 가장 중요한 목표로 두며, 따라서 즉흥연주와 표현을 장려한다. 이러한 즉흥연주는 즉흥

적 자기표현과 타인의 표현이 마치 대화처럼 전개되어 자극함으로써(Bruscia, 1998) 이를 통해 자신과 타인의 감정을 이해하고 성공적인 음악의 경험이 개인의 긍정적 경험과 연결된다(최신형, 2007).

다. 창작적 경험

창작적 경험은 가사에 내담자의 말을 넣어서 새로운 노래를 만드는 방법, 함께 노래를 부르고 가사의 의미를 함께 생각해보는 방법, 세션 과정에서 내담자가 느낀 감정이나 생각을 가사로 하여 치료사가 새로운 곡을 만들어 함께 노래함으로써 내담자의 말이나 글을 다시 음미하는 방법이 흔히 사용된다. 전형적으로 사용되는 방법은 치료사가 4마디 혹은 8마디의 노래를 만들어서 노래를 통해 내담자에게 질문하면 내담자가 노래를 통해 답변하는 방법을 사용하는데 이는 직접적인 언어로 표현하기 어려운 생각을 효과적으로 표현하도록 하며(권수지, 2016), 언어로 상호작용하는 것 보다 효율적이고 자연스럽게 유대관계를 형성하고 세션을 진행하도록 한다. 이러한 창작적 경험은 주로 다음과 같은 치료의 목적을 가진다. 첫 번째는 조직과 기획 능력의 발달이다. 두 번째는 창조적인 문제해결 능력의 발달이다. 세 번째는 책임감 증진, 네 번째는 내면의 경험 기록과 전달 능력의 발달이다. 다섯 번째는 치료 주제 모색 증진이며 마지막 여섯 번째는 부분을 전체로 종합하고 통합하는 능력의 발달이다.

라. 감상 경험

음악을 들으면 내담자는 어떤 형태로든 반응이 일어난다. 음악치료에서 내담자는 치료사가 들려주는 라이브나 녹음된 음악, 자작곡, 즉흥곡, 연주곡 등의 다양한 음악을 감상하게 된다. 기본적으로 음악 감상은 대부분의 사람들이 긴장을 풀고 스트레스와 불안을 감소시키는 역할을 한다(Standley & Prickett, 1994). 이러한 감상 경험은 다음과 같은 치료 목적을 지닌다. 첫 번째, 수용성의 촉진이다. 두 번째 감상은 특정한 신체의 반응을 유발한다. 세 번째, 감상은 긴장을 이완시키거나 자극한다. 네 번째, 청각·운동 기술을 개발한다. 다섯 번째, 정서적 경험을 유발한다. 여섯 번째, 타인의 의견과 생각을 탐구한다. 일곱 번째, 기억과 환기, 회귀를 활성화한다. 여덟 번째, 상상과 심상을 유발한다. 아홉 번째, 감상자를 지역사회 및 사회문화 단체가 연계한다. 열 번째, 감정을 고조시키고 영적 경험을 자극한다.

3) 음악치료 과정

앞서 음악치료를 치료사가 환자의 건강 회복을 위해 음악 경험과 음악을 활용한 관계를 통해 역동적 변화를 돕는 체계적인 치료 과정이라고 정의하였다. 즉 음악치료는 체계적인 과정에 의해 진행되어야 하며 그 과정은 진단평가, 치료 목적 및 목표 설정, 음악 활동 계획, 치료적용계획서 작성, 치료활동 적용 및 환자 반응평가로 진행된다. 각 단계의 내용을 요약하여 정리하면 <그림 5>와 같다.

1단계 진단평가
발달, 배경(개인적·사회적), 병력 검토 다른 치료팀원과의 의견 교환 음악 활동에서 나타나는 발달 수준 관찰

↓

2단계 치료 목적 및 목표 설정
달성을 확인할 수 있는 내용의 치료 목적 선택 치료적 조건, 내담자, 기대 행동, 기준 요소를 반영한 목표 설정

↓

3단계 음악 활동 계획
구체적, 체계적, 단계적 구성 내담자 중심

↓

4단계 치료적용계획서 작성
4R 적용 ·일과성(routine): 같은 구조를 통한 안정감 제공 ·반복(repetition): 예측 가능한 음악 형식 사용 ·이완(relaxation): 심신이완을 위한 활동 ·해결(resolution): 성공적이고 긍정적 종결

↓

5단계 치료활동 적용 및 환자 반응평가
목적과 목표 달성을 위한 음악 활동에 내담자가 보인 반응 비교 치료 방향 및 활동 수준의 적절성 점검 내담자의 상태 기술

<그림 5> 음악치료 과정

3. 문학치료

1) 문학치료의 개념

1950년대 미국의 시인 Eli Greifer가 심리학자이자 의사였던 Jack J. Leedy의 지원으로 시를 활용한 치료를 시작하였는데 이때 Poetry Therapy(시치료)라는 말을 최초로 사용하였다. 이렇게 시작된 시치료는 Arthur Lerner가 문학치료연구소를 개설하면서 더욱 발전했으며 1980년에는 미국에 시쓰기치료학회(The National Association for Poetry Therapy)가 설립되었다(변학수, 2005).

우리나라에서는 Bibliotherapy(독서치료)라는 말을 일반적으로 사용하다가 수동적인 의미의 독서치료 대신 적극적이고 다양한 문학의 영역을 포함하기 위해 Literature(문학)라는 단어를 도입하여 Literatherapy(문학치료)로 사용하고 있다(변학수, 2005). 따라서 문학치료(Literatherapy)는 시치료(Poetry Therapy)와 독서치료(Bibliotherapy)를 모두 포함하며 글쓰기치료, 저널치료, 통합문학치료 등의 여러 가지로 범용하며 영역을 넘나들며 사용하고 있다(김효현, 2023).

우리나라의 문학치료는 인간이 문학이며 문학이 인간이라고 본다(정운채, 2006). 따라서 문학치료는 문학작품을 단순히 작품으로서의 결과물로 바라보는 것이 아니라 문학작품의 서사(敍事, epic)와 오랜 시간 축적되고 계속해서 진행되고 있는 자기 서사의 상호작용에 집중한다(김효현, 2023). 문학은 비문학과는 달리 작가의 사상, 상상력, 감정 등의 동원을 언어로 표현해낸 예술이자 작품으로, 이는 독자로부터 정서적, 심미적 공감의 호소를 일으키는 구조를 담고 있다(변학수, 2005; 최소영, 2016). 이에 문학의 서사에 내담자는 자기 서사를 반영하게 되는 것이며 이는 문학치료의 원리가 된다. 또한 여기서 문학은 사학, 심리학, 철학 등을 모두 포함한다. 즉 문학치료는 이러한 문학을 활용한 활동을 통해 심리·정서적, 신체적, 정신적 손상을 회복시키고 나아가 성숙해지도록 돕는 것을 의미한다.

변학수(2005)는 문학의 이전 형식이 원시시대의 종교적 행위인 제의(祭儀), 즉 신화였다고 말한다. 이러한 제의로서의 신화는 인간이 자연을 지배하고 자연과학이 발달함으로써 왜곡되었고 결국 근현대 문학은 신화의 상태를 다시 회복하고자 하는 인간의 욕망을 담고 있다는 것이다. 즉 현대문학은 인간의 고통, 기쁨, 슬픔, 소외와 같은 원초적 경험을 근거로 제의를 대신하는 심미적 기능을 지니고 있으며 이는 결국 인간의 마음과 영혼을 치유하는 것이 문학의 본래의 기능이라는 것을 의미한다.

이러한 문학치료의 원리는 카타르시스, 동일시와 공감, 소통, 통찰과 재구조화, 시적 공간으로 본다(최소영, 2016). 먼저 Aristoteles의 「시학」에서 그는 카타르시스에 대해 다음과 같이 말한다.

비극은 드라마적 형식을 취하고 서술적 형식을 위하지 않으며, 연민과 공포를 환기시키는 사건에 의하여 바로 이러한 감정의 카타르시스를 행한다(Aristoteles, 1990, p. 47).

이후 문학의 중심 개념이 되어왔던 카타르시스의 기능은 비극, 즉 앞서 설명한 제의에 담긴 탄원(歎願)이며 이 탄원이 바로 카타르시스의 실체라고도 볼 수 있다(변학수, 2005). 첨언하면 그리스어로 비극을 의미하는 'Tragoedia'는 '산양'을 의미하는 Tragi와 '노래'를 의미하는 Oide가 합성된 단어로 산양을 잡아놓고 노래하는, 즉 제의를 의미한다. 따라서 비극은 제의이며 제의는 탄원을 담고 그 탄원은 카타르시스의 실체가 되는 것이다. 내담자는 어떠한 사건으로 인해 생긴 억울함, 분노, 죄책감, 수치심 등의 정동(affect)을 해소하지 못하고 억압된 상태이며 문학치료에서는 이러한 내담자에게 문학의 중심 개념인 카타르시스를 통해 감정의 배설과 감정의 정화를 제공한다.

다음으로 문학작품을 읽거나 쓰는 동안 독자 혹은 저자와 등장인물을 동일시 함으로써 삶 속 난관의 극복 과정을 배우며 자신과 타자의 욕구, 감정 등을 공감하게 된다. 공감은 소통으로 연결되고 새로운 통찰을 통한 사고와 감정의 구조를 재구조화할 수 있도록 한다(최소영, 2016).

이처럼 문학치료는 내담자가 억압된 감정을 충분히 경험하도록 하는 안전한 시적 공간(Poetic Space)이 되어 준다. 이러한 원리와 과정으로 이루어지는 문학치료는 심리적, 신체적 안정과 위로뿐 아니라 대체보완의학으로, 인문학적 성장과 성숙, 자기 계발의 방법으로 활용된다.

2) 문학치료의 영역

가. 독서치료(Reading Therapy)

여기에서 독서치료는 문학치료의 영역이자 하위개념의 읽기치료, 즉 Reading Therapy를 의미한다. 독서치료는 치료를 목적으로 독자의 성격을 측정하거나 적응, 성장 등의 전반적 발달과 정신적 건강을 위해 책을 사용하는 것으로서 책과 독자의 상호작용 과정을 말한다(Doll & Doll, 1997).

독서치료는 동일시, 카타르시스, 통찰의 3대 원리를 기반으로 한다(이영식, 2006). 독서치료의 일차적 과정은 등장인물이라는 타자의 갈등과 트라우마에 독자가 감정 이입하여 동일시하는 것이다. 이는 자기만의 억압된 기억과 충동을 자신과 동일시된 책 속의 등장인물과 공유함으로써 훨씬 편하게 드러낼 수 있게 된다(변학수, 2005). 그리고 이와 같은 과정을 통해 역경의 극복 과정이나 지혜를 배우며 통찰을 일으킨다. 또한, 내용의 전개, 인물의 역할, 대화 등을 통해 독자는 카타르시스를 경험하고 이는 회복과 치유로 연결된다(최소영, 2016).

따라서 독서치료에서는 책을 매개로 내담자가 깊이 있는 자기 이해가 일어날 수 있도록 책과의 상호작용을 돕는 과정이 매우 중요하다. 이에 대해 Hynes와 Hynes-Berry(1994)는 인식(cognition), 고찰(examination), 병치(juxtaposition), 자기적용(application)의 과정을 통해 독서치료가 진행된다고 하였다. 인식은 자료에 내포된 의미를 지각하는 것으로 등장인물의 경험을 공유함으로써 일어난다. 고찰은 작품을 자세히 살펴보는 사고의 과정이며 여기서 내담자는 인식에 대한 감정과 반응의 의미를 탐색한다. 병치는 비교·대조의 과정으로, 첫 반응과 새로운 인상을 비교하고 문제 해결을 위한 방법을 찾아보는 창의적 사고의 과정이다. 마지막으로 자기적용은 책을 통해 경험한 것을 자기에게 적용하는 통합의 과정이다(이찬숙 외, 2012).

독서치료 또한 다른 예술치료와 마찬가지로 단계에 따라 진행된다. Doll과 Doll(1997)은 독서치료 단계를 ①자료선택, ②자료제시, ③이해의 조성, ④추후 활동, ⑤평가의 다섯 단계로 제시하였다. 여기서 자료를 선택하기 전에는 내담자와의 신뢰관계(rapport) 형성과 심리검사, 문제의 명료화 과정의 준비 단계를 전제로 한다. 독서치료의 과정과 단계별 주의사항을 정리하면 <그림 6>과 같다.

1단계 자료선택
내담자의 연령, 수준, 흥미 등의 반영 문제 상황과 관련한 해결책의 제공이 가능한 자료선택

↓

2단계 자료제시
흥미를 촉진을 위한 창의적 방법 사용 이해를 돕기 위한 중간 활동 삽입 내담자의 정서 반응 파악 및 조절

↓

3단계 이해의 조성
등장인물과 문제의 탐구 등장인물의 행동 동기 이해 문제 해결에 대한 다양한 방안 검토 등장인물과 내담자의 유사점 이해 쓰기, 미술, 역할 놀이 등 활용

↓

4단계 추후 활동
독후 활동으로 토의, 쓰기, 미술, 역할 놀이 활용 내담자의 실천 격려

↓

5단계 평가
합리적 행동의 수행 격려 및 확인 합리적 행동의 실천이 지속될 수 있도록 격려 및 확인

<그림 6> 독서치료 과정

나. 이야기치료(Narrative Therapy)

인간의 삶은 살아가는 이야기며 내러티브를 통해 자기의 삶을 기억한다. 이에 대해 변학수(2005)는 문자기호에는 기억이 새겨져 있다고 말한다. 그래서 이야기는 치료에 매우 중요하다. 결국 상담과 치료는 내담자가 살아온 이야기에 대한 질문과 사유로 이루어진다. 이야기치료는 1990년대 초에 시작된 것으로 보고 있으나, '이야기 치료사'라는 명명 이전부터 이미 이야기를 통해 이루어지고 있었다고 할 수 있다(변학수, 2005). 즉 사실상 모든 심리치료는 이야기치료인 셈이다.

양유성(2004)에 의하면 이야기의 기능은 일반적 기능과 치유적 기능으로 나뉘는데, 일반적 기능에는 심리적 기능, 사회적 기능, 종교적 기능, 철학적 기능이 있다. 이야기의 치유적 기능은 화자, 즉 내담자가 이야기를 통해 자기 정체성을 새롭게 정립하고 자신이 원하는 삶의 방향으로 이야기를 재구성하도록 하는 것이다. 최소영(2016) 또한 이야기치료의 핵심은 살아온 이야기의 억압된 갈등과 아픔, 고통 등을 자유와 행복의 새로운 이야기로 변화시키는 것이라고 말한다.

이야기치료가 시작되기 위해서는 내담자가 말하지 못한 이야기의 고백과 직면이 우선되어야 한다. 최소영(2016)은 이 과정에서 내담자가 두려움과 불편함 없이 자기의 이야기를 마음껏 드러낼 수 있도록 도와야 한다고 말한다. 이를 위한 치료사의 덕목은 개방적이고 긍정적인 경청, 공감하며 듣는 태도이다. 이는 이야기에 대한 설

부른 해석, 판단, 평가 없이 무조건적으로 수용하며 듣는 것을 말한다.

내담자가 이야기를 시작하면 치료사는 이야기를 통해 내담자에 대한 정보를 얻을 수 있다. 이때 치료사는 이야기에 그대로 빠지지 않고 그 이야기 너머의 이야기, 즉 내담자의 정서를 담고 있는 실마리를 발견하는 데 집중해야 한다(변학수, 2005).

이야기치료에서 위와 같은 치료 목표를 이루기 위해서는 다음의 이해가 필요하다. 이야기치료에서 '이야기'를 'story'가 아닌 'narrative'로 사용하는 이유는 이야기의 단순 나열이 아닌 경험의 의미를 부여한 플롯(plot)을 뼈대로 하기 때문이며 이는 결국 개인의 경험은 특정한 역사와 사회 문화적 맥락의 영향을 받음을 전제한다는 것이다. 즉 인간은 다양한 사회적 관계의 맥락에서 정체성이 내재화된다. 이야기치료는 이러한 문화적 관행에 의해 내담자에게 내재화된 정체성을 외재화 대화를 통해 재구성할 수 있도록 하는 과정이 제공되어야 하는 것이다. 다시 말하면, 내재화된 정체성으로 인해 사람, 즉 존재 자체가 문제였던 틀에서 벗어나 문제를 사람으로부터 분리하여 문제 해결의 여지와 선택의 기회를 제공하는 것이다. 이를 White(2010)는 외재화 이야기라고 하였으며 그 과정을 다음의 4단계로 설명하였다.

외재화 이야기의 1단계는 문제 정의하기이다. 내담자는 경험과 현실 속에서의 문제를 자신의 입장에서 자기 방식대로 정의한다. 여기서 치료사는 내담자의 경험과 문제에 공감하며 문제와 사람은 별개임을 환기하여 문제와 사람을 분리하도록 한다. 2단계는 "문제의 결과 탐색하기"(p. 69)로 이는 내담자의 호소 문제가 내담자의 삶에 미치는 영향에 관해 이야기하는 것이다. 이를 통해 내담자는 자신의 부정적 정체성 인식과 그에 따른 결과를 이야기함으로써 부정적 결과를 추측하고 이를 극복하기 위한 긍정적인 선택과 결정을 할 수 있도록 돕는다. 3단계는 "문제의 영향력 평가하기"(p. 71)로 2단계에서 이야기한 호소 문제가 내담자의 삶에 미치는 영향을 평가하는 것이다. 이 과정에서 내담자는 문제의 영향에 대한 통찰과 객관적 사고를 경험한다. 이를 위해 치료사는 '무엇이 그런 행동을 하게 했는지, 이런 행동을 하는 것이 괜찮은지, 상황의 전개에 대해 어떻게 생각하는지' 등의 질문을 통해 내담자가 자시 행동과 상황의 문제를 재조명하고 긍정적인 해결 방안을 찾아갈 수 있도록 도와야 한다. 마지막 4단계는 "평가의 근거 제시하기"(p. 71)로 이는 '왜?'라는 질문을 통해 내담자에게 중요한 것, 필요한 것을 깨달아 가는 과정을 제공하고 내담자가 문제 상황에 대한 구체적인 해결 방법을 찾아갈 수 있도록 하는 것이다.

다. 시치료(Poetry Therapy)

시치료는 미시적 의미로는 심리·정서, 지각, 인지, 행동, 신체적 불안정, 병리적 문제를 지닌 내담자와 시를 통해 상호작용함으로써 안정적 상태를 유지하고 긍정적 방향으로 변화하는 것을 말한다. 더불어 거시적 의미로는 위의 치료 목적을 위한 영역으로써 말하기, 듣기, 쓰기, 읽기, 생각하기, 활동하기 및 시치료에 필요한 응용,

보조적 활동에 이르기까지의 모든 영역을 포함한다(최소영, 2016).

시는 드라마, 소설, 영화 보다 정서를 표출하기 훨씬 좋은 장르여서 치료에 많이 이용되고 있으며 이는 은유, 상징, 이미지, 리듬이라는 시의 요소가 시적 치료의 도구로 활용되기 때문이다(Fox, 1997). 시의 요소가 어떻게 치료의 도구로 작용하는지를 살펴보면 다음과 같다.

은유는 암시적 표현으로 의식의 통제에서 우회하여 숨겨져 있던 욕망, 좌절된 욕구를 표현할 수 있게 한다. 이는 외부와 내부, 즉 경험과 느낌 사이의 관계를 보여주며 정서의 전환과 사고의 유연성을 확보하도록 돕는다. 그리고 이는 새로운 인식과 자아 성찰의 기회를 제공한다(이민용, 2010).

시에서 상징은 정신분석학에서 말하는 억압된 무의식적 욕망과도 같다. 무의식은 꿈으로 상징화 되어 나타난다. 시치료에서는 사물에 대한 표상을 통해 무의식을 명료한 의식으로 바꾸며 이로써 세계에 대한 독특하고 창의적인 의미를 발견하고 발전시킬 수 있게 되는 것이다(김영철, 1993).

이미지는 다양한 심리치료에서 흔히 사용된다. 이는 인간을 이해할 때 경험을 드러내는 주요한 방법이 이미지며 의식을 묘사하기 위해 우리가 사용하는 언어가 시각적이기 때문이다. 특히 치료에서 지속적이고 반복적으로 나타나는 이미지는 중요한 상징의 의미를 지닌다. 그리고 내담자가 가진 자기 이미지의 변화는 효과적인 시치료의 방법 중 하나다(최소영, 2016).

시의 은율은 리듬이며 인간의 정서를 홍취 시키려는 기본정신이

담겨있다. 프로이트가 정신분석치료에서 반복을 활용한 것처럼 시에서의 반복되는 리듬은 최면 효과를 가져온다. 그리고 이는 무의식을 연결하는 다리가 된다(변학수, 2005). 더불어 시는 이를 낭독할 때 공명과 공감을 일으키고 표현에 대한 성취감과 욕구의 실현을 경험할 수 있다(최소영, 2016).

Heninger(1981)는 시치료의 원리를 다음의 여섯 가지로 설명한다. 첫 번째는 '환기(ventilation)방법과 카타르시스'이다. 시치료는 내담자의 억압된 생각과 감정을 표출함으로써 환기를 제공하며 정서를 정화시킨다. 그리고 이는 속이 후련해지는 카타르시스를 경험하게 한다. 두 번째는 '치료적 탐구과정'이다. 시는 자신을 진실하게 표현할 수 있도록 하는 통로로써 깊은 내면과 무의식의 세계에 들어가 자기 모습을 직면하게 하여 깨달음과 통찰을 제공한다. 세 번째는 '지지적인 정신치료'로 생각과 감정의 교류를 통해 공유와 보편화를 느끼게 된다. 이를 통해 내담자는 용기와 자신감, 위로를 얻을 수 있게 된다. 네 번째는 '활동적인 숙달 방법'이다. 시를 읽을 때 내담자는 화자에게 동일시를 느낄 수 있으며 자기의 감정을 변형하거나 조절해볼 수 있다. 또한, 수용하지 못했던 감정을 시로 표현함으로써 수용의 경험을 일으킨다. 치료사의 도움을 동반한 시를 활용한 감정의 체험의 시적활동은 성숙과 성장의 촉진 경험이 될 수 있다. 다섯 번째는 '이해하는 방법'으로 시 감상을 통해 화자의 감정을 공감함으로써 자신을 이해하게 되는 것이다. 즉 시치료는 내담자의 자기인식을 돕는다. 마지막 여섯 번째는 '안전한 방법'이다. 시로 변형된 자기표현은 현실에서 받아들이기 어려운 불쾌한 감정, 갈등 등을 미적인 방법으로 표출하도록 한다(최소영, 2016, 재인용).

4. 무용동작치료

1) 무용동작치료의 개념

인간의 삶에 움직임을 제거한다는 것이 가능할까? 움직임이 없다면 그것은 생명이라 할 수 없다. 그러나 우리는 언어적 표현보다 신체의 움직임을 유아적이거나 열등하다고 생각해 왔으며 언어적 표현이야말로 이성적으로 사고한 것을 드러내는 것으로 우위에 있다고 여겼다. 그러나 지금 이 책을 읽는 순간에도 우리는 눈을 깜박이거나 손을 비비거나 발을 구르는 등 신체를 움직이고 있다. 아주 미세한 움직임이더라도 말이다. 이렇듯 몸의 움직임은 인간의 본질적인 욕구이자 생존의 본능이자 바로 삶이라고 할 수 있다. 우리의 삶이 움직임이라면 몸은 항상 인간의 상태를 표현하는 것으로 우리의 신체와 사고 그리고 마음은 분리될 수 없다. 예를 들어 부모님께 야단맞은 아이의 처진 어깨와 힘없는 발걸음을 보면 누구라도 본능적으로 지금 저 아이의 속상한 마음의 상태를 알아차릴 수 있다. 즉 움직임은 몸의 언어이다. Olsen은 몸은 바로 인간이 하는 대답으로 움직이고, 호흡하고, 행위함으로써 누구나 자신 삶이 존재한다고 하였다(McNiff, 2014, 재인용).

미시건 주립대학 생리학과 교수인 Root-Bernstein과 그의 아내 Root-Bernstein이 집필한 「생각의 탄생」이라는 책은 창조적 사고의 13가지 도구들에 관해 다양한 사례와 함께 설명하고 있다. 이 중 '몸으로 생각하기(Body Thinking)' 파트에서는 몸의 감각이 어떻게 창의적 사고의 도구가 되는지에 대해 Helen Keller가 무용 스튜디오를 방문했던 일화와 Jackson Pollock의 창작 과정과 작품에 관한 사례를 담고 있다. 시청각 장애인 Helen Keller는 무용수의 춤을 보고, 듣고, 느낄 수 없었을까? 아니다. 피아노 위에 손을 올려 진동을 느끼며 음악을 들었으며, 발로는 무용수가 음악에 맞춰 춤을 출 때 마루 발판의 진동을 느끼고, 얼굴과 손으로는 무용수의 거친 호흡과 동작을 공기의 움직임을 통해 느끼면서 그들의 춤을 보았다. 액션 페인팅 작가로 유명한 Jackson Pollock은 매우 큰 크기의 캔버스를 바닥에 눕혀 캔버스 주위를 돌아다니며 물감을 뿌리면서 작품을 완성한다. 이때 캔버스 주위에서 춤을 추기도 하고, 이러한 몸의 동작은 작품에 오롯하게 기록된다. 그렇기 때문에 관람자가 육체적 감각을 느끼지 못한다면 그의 작품을 진정으로 마주하고 이해하였다고 하기 어려울 것이다. 두 사례에서 살펴본 바와 같이 사고하는 것은 느끼는 것이고, 느끼는 것은 사고하는 것으로 이는 분리될 수 없다는 것을 의미한다.

우리는 스트레스를 받으면 입맛이 없어지거나 머리가 아프거나 잠이 오지 않거나 가슴이 답답해지기도 하며 때에 따라서는 나의 몸을 스스로 컨트롤하기 어려울 때도 있다. 우울증 환자들에게 나타나는 신체적 증상이 대부분 쉽게 피로감을 느끼고 기운이 없어 몸을 움직이지 않는 것처럼 말이다. 이는 마음의 고통이 몸의 질병으로 나타나는 것으로 마음과 몸은 연결되어 있음을 알 수 있다. 그렇기 때문에 무용동작치료는 신체와 심신의 일원론적인 관점에서 출발하며 신체를 단순히 물질적 속성만으로 이해하지 않는다. 또한,

어느 한 개인의 미학적인 전유물로 우아하고 호화스러울 필요가 없이 모든 사람들이 할 수 있는 직접적이고 자연스러운 것이다(Halprin, 2002). Mettler(1985)는 무용은 신체를 매개로 하여 자기를 표현하는 예술로 무용의 재료는 동작이며, 도구는 신체라고 하였다. 또한, 동작은 가장 우선하는 표현 매체이며 그 외 다른 수단들은 동작에 근거한다고 하였다. 말하거나 글을 쓰거나 그리거나 악기를 이용하여 연주를 하거나 등은 모두 움직이려는 인간의 본능과 충동에서 시작되며 이러한 충동이 말, 글, 색, 선, 소리 등의 매체로 옮겨가는 것이다.

무용동작치료는 무용/동작과 치료의 만남으로 모든 예술치료가 그렇듯 하나의 정의로 고정하여 설명할 수는 없다. 미국무용치료협회는 "개인의 신체 감정 인지 사회적 통합을 증진하기 위하여 움직임을 심리치료적으로 사용"한다고 정의하였으며, 한국댄스테라피협회에서는 "움직임 상호작용을 통하여 개인의 일상적인 자각과 내부에 존재하는 무의식적인 정신 과정을 이해하고 창의적이고 표현적인 개념을 정신치료의 통찰력과 결합시키는 과정"이라고 하였다. 무용동작치료의 선구자인 Marian Chaee는 "인간관계에서의 새로운 접촉을 시도할 수 있는 기본적인 방법이자 다른 사람과 접촉할 수 있는 존재로서 자기를 지각하게 해주는 것"(조희진, 2023, p. 9 재인용)이라고 하였다. 이처럼 공통적으로 무용동작치료는 신체 움직임을 감정이입과 표현의 통로로써 심리치료적으로 사용하여 개인의 의식과 무의식의 과정을 이해함으로써 신체와 감정, 정신, 인지, 사회 영역을 통합하는 것이라고 할 수 있다.

2) 무용동작치료의 특성 및 효과

Halprin은 표현예술매체의 치료적 실천 원리를 '우리의 몸은 알아차림의 매개체다.', '신체적인 몸, 정서 그리고 이미지는 서로 관련을 갖고 상호작용한다.', '신체감각, 자세 그리고 몸짓은 우리의 과거를 반영하고 우리의 현 존재를 반영한다.', '우리의 동작에서 소리가 나올 때 우리의 느낌과 이야기가 소리를 내고 있는 것이다.', '춤, 시, 그림, 공연과 같은 예술작업을 할 때, 우리는 우리 자기 삶의 작업을 하는 것이다.', '예술로 창조한 상징은 우리 삶의 상황에서 전하는 가치 있는 메시지를 표현한다.', '예술가로서 작업하는 방식은 우리에게 자신과 타인 그리고 세상과 관계를 맺는 방법을 가르쳐 준다.', '예술을 통해 긍정적인 비전으로 나아갈 때, 우리는 우리 자신의 삶에 힘을 줄 수 있는 이미지와 모델을 만들어낸다.', '예술의 실제와 창조성의 원리를 가지고 작업하는 방법을 배울 때, 우리는 배운 것들을 실제 삶에서 도전해 보고 우리 자신의 모든 측면에 적용해 볼 수 있다.'라고 설명하고 있다(임용자 외, 2016, pp. 102-103 재인용). 이때 몸과 움직임은 치료적 원리를 실천하는 데 있어 가장 우선하는 표현 매체가 됨을 알 수 있다.

우리의 몸은 신체의 생리적 기능이라는 보편성을 가진 실제적 신체와 개인적 의미를 가지는 은유적 신체가 연결되는 것이기에 치유적이다(임용자 외, 2016). 실제적 신체는 움직임에서 해부학적 기능과 생리적 기능을 가지고 있어 신체의 각 부분들을 전체로서의 신체와 연결하여 통합적으로 기능하는 동시에 부분들만의 고유한 기능과 움직임 행동 목록을 가지고 있다. 은유적 신체는 개인 삶의 경험과 관련된 감정과 이미지를 가진 예술적 은유로 간주되는 신체로 개인적 특질을 가진다(임용자 외, 2016). 무용동작치료는 신체와 감각적 접촉의 활용, 호흡에 대한 자극, 느낌이나 행동을 조절할 수 있는 신체 안에서 이루어지는 자각과 개인의 감정과 정서에 영향을 미치는 방식에 주의를 기울이며 움직임의 창의적-예술적 과정을 강조한다(Chaiklin & Wengrower, 2014).

Laban은 인간의 동작을 신체(body), 에포트(effort), 공간(space), 관계성(relationship)이라는 구성요소 봤으며 이 중에서 동작의 질적인 면, 즉 신체적 움직임의 내적 동기로 설명되는 Effort를 움직임의 요소를 시간(time), 무게(weight), 공간(space), 흐름(flow)으로 구분하였고, 이 4가지의 요소를 어떻게 조합하여 사용하느냐에 따라 움직임의 질적인 면이 달라진다고 강조하였다(김형숙, 김수연, 2008). Effort는 인간의 지적이며 정서적 작용의 동기를 통해서 움직임의 요인을 살펴보는 것으로 내적 동기가 신체적 움직임으로 '어떻게 움직이는가'에 관한 것이라고 볼 수 있다(김기화, 2011). Effort는 각각의 움직임 요소는 특정한 다른 요소들에 포함하기 때문에 하나의 움직임 요소나 요소들을 분리하는 것은 불가능하며, 움직임은 주어진 순간에 요소와 조합과 강도를 내포한다(Levy, 2012). Effort 움직임의 특질은 곧 내담자의 심리정서적 특성과 연관되기 때문에 이를 관찰하고 이해하고 발전시키는 것이 중요하다.

<표 3> Effort의 요소와 내적 동기 형태

동작 요소	Effort 요소	내적 동기 형태
시간 (T)	갑작스런, 빠른	갑작스럽게 나타남
	지속적인, 느린	연장되어서 나타남
무게 (W)	견고한, 무거운	강한 힘을 동반하여 나타남
	부드러운, 가벼운	부드러운 힘을 동반하여 나타남
공간 (S)	직선적인, 직선공간활용	한 반향으로 나타남
	유연한, 곡선공간활용	각기 다른 방향으로 나타남
흐름 (F)	탄력적인, 제안된, 일정한	어느 순간 멈춤이 가능함
	자유로운, 무질서	어는 순간 멈춤이 불가능함

출처: 신원필, 소희정, 2019, p.110

예술치료의 치료적 요인은 공통적으로 치료사와 내담자의 요인, 환경 요인, 그리고 해당 예술의 치료적 요인이 포함된다. 류분순 (2008)은 무용동작치료의 치료적 원리를 다음과 같이 설명하고 있다. 첫째, 신체와 정신은 끊임없이 상호작용한다. 둘째, 내담자의 동작은 그 사람의 인격을 반영한다. 셋째, 움직임을 통한 상호작용의 효율적인 접근에 중점을 둔다. 즉, 내담자와 치료사의 관계는 행동 변화를 가져온다. 넷째, 몸의 움직임이 꿈, 그림, 자유연상 등과 같은 무의식을 담는다. 마지막으로 즉흥 움직임을 통한 창조성은 새로운 관계와 의미, 예기치 않은 연관성을 찾을 수 있는 능력을 가지게 한다. 우리가 우울할 때 산책을 하거나 운동을 하다 보면 우울한 감정이 안정된 감정으로 바뀌게 되는 경험을 해봤던 것처럼 신체와 정신이 끊임없이 상호작용하고 있다. 그리고 동작은 심리학적 발달과정, 정신병리학, 주관적 표현들, 관계 맺는 패턴들과 함께 개인의 인격적 측면을 반영한다(선원필, 소희정, 2019). 개인의 성격과 개성이 동작에 어떻게 반영되었는지 알 수 있는 것이다. 움직임은 우리가 의식적으로 자각을 하지 않더라도 본능적이고 원시적이다. 그렇기 때문에 무의식에 가깝게 접근하여 감정을 자각하게 만들어 주는 중요한 수단이 된다. 인식의 단계를 넘어 무의식의 확장으로 일상에서 가지는 경직된 사고의 틀을 벗어나는 순간을 경험하게 하는데, 즉 잠재의식 속에 갇혔던 강직 상태를 유발하는 원인을 움직임을 통해 표출하게 한다(이정숙, 2018). 그렇기 때문에 특히 언어적 표현에 대한 방어가 높거나 지나치게 이성적 사고가 강화되어 있는 내담자에게는 상상의 공간, 창조적 과정을 통해 더욱 감각적이고 즉각적으로 상징적 표현이 가능하다. 아이들은 보면 누구의 시선을 의식하지 않고 스스로 흥에 겨워 즐겁게 몸을 흔들고 춤을 춘다. 그게 막춤이더라도 말이다. 이는 새로운 형태를 자유롭게 창조하여 거리낌 없이 움직임으로 나타냄으로써 자신을 온전히 창조적으로 표현하는, 즉 건강한 표현이라고 할 수 있다. 무용동작치료에서 창조성은 감각을 깨우고, 움직임을 촉진시키고 활성화하여 나를 표현을 선택하는 창조적 의지와 책임(자각을 하고 나는 행동한다는 반응능력)을 가진다(Halprin, 2002). 이러한 무용동작치료의 전체적인 과정에서 치료사와 내담자의 치료적 관계가 매우 중요하다. 치료사는 내담자가 최대한 안전하다고 느낄 수 있도록 도와주고 내담자가 표현하는 상징적 의미를 이해할 수 있게끔 하기 때문이다.

Schmais(1985)는 무용동작치료의 치료 요인을 동시성, 표현성, 리듬, 활력, 통합, 응집력, 교육, 상징 8가지로 설명하였다. 이 중 동시성은 말 그대로 동시에 일어나는 시간을 의미하며, 표현성은 내적인 상태가 외적표현을 통해 의식화되어 내가 표현을 해봤더니 그것이 나에게 억눌린 감정을 표출하여 해방시키는 긍정적인 영향을 느끼게 한다면, 생리적인 몸의 반응의 변화를 촉진시켜 움직임을 증대시킨다. 통합은 움직임과 상호작용을 통해 개인의 감정과 정신, 신체를 통합(integration)하는 것이며 상징은 비언어적 소통 수단으로 창조적인 신체 움직임을 통해 내적 감정을 외적으로 안전하게 드러내는 것이다. Espenak(1981)은 무용동작치료의 치료 요인을 감정의 자극과 표출, 대화와 접촉, 불안 감소, 즐거움의 경험, 리듬에 대한 반응이라고 하였다. 이처럼 무용동작치료의 치료 요인을 통해 개인은 자신의 신체, 정서, 인지적 측면을 통합하여 창조성을 발견함으로써 회복, 변화, 내적 성장을 이룰 수 있다(Levy, 2012). 또한, 무용동작치료의 치료적 요인은 궁극적으로 각각 개별적으로 나타나는 것이 아닌 서로 영향을 미치며 통합적으로 나타난다.

3) 무용동작치료의 주요 이론

신체의 움직임을 통해 개인의 신체와 정서, 인지, 사회적 통합을 이루는 무용동작치료의 이해를 돕고자 무용동작치료의 주요 이론 파트에서는 현대 무용동작치료의 선구자인 Marian Chace와 Mary Whitehouse의 이론을 살펴보도록 한다.

가. Marian Chace의 무용동작치료 이론[1]

Marian Chace는 무용동작치료의 선구적인 업적을 남긴 대모로 현재까지도 무용동작치료의 학문 분야에 큰 영향력을 미치고 있다. Chace는 무용동작치료의 원리를 몸의 움직임(Body Action), 상징주의(Symbolism), 움직임을 통한 치료적 관계(Therapeutic Movement Relationship), 집단의 리듬적 움직임(Rhythmic Group Activity) 4가지 범주로 설명하고 있다.

첫째, 몸의 움직임(Body Action)은 감정표현의 근육 움직임을 통해 행동화를 경험하는 것으로 감정 표현의 기회를 마련하는 것뿐 아니라 감정을 표현하는 근육의 움직임이 무용동작치료의 토대이며 결국 이러한 동작들을 구성하고 조직화한다. 몸의 움직임 개념과 관련하여 Chace는 현실적 신체상 창조/ 신체부위들의 활성화와 통합/ 자세의 재구성/ 내적 감각의 인식/ 에너지의 사용/ 신체동작의

----

1) 권소향(2014), 김유선(2003), 허성재(1994), Levy(2012)의 내용을 재구성

숙달과 통제의 발달/ 표현영역의 확장이라는 7가지 목표를 정리하였다.

둘째, 상징주의(Symbolism)는 복잡하고 미묘한 내적 감정의 신체적 외적 표현을 의미하는 것으로 움직임은 이성적 언어로 표현하기 어렵지만, 상징적 행위로 공감을 가져올 수 있다. 예를 들어 누군가 몸을 웅크리고 소리를 내며 울고 있을 때 언어적 표현 없이도 슬픔이라는 상징성을 읽어낼 수 있고 등을 두드려주거나 조용히 포옹해주며 슬픔을 공감하며 위로해 줄 수 있다. 상징주의 개념과 관련하여 Chace는 언어, 경험 그리고 동작의 통합/ 내적인 사고와 느낌의 구체화/ 상징적 동작들의 확대/ 중요한 과거의 회상/ 통찰력의 회복이라는 5가지 목표를 정리하였다.

셋째, 움직임을 통한 치료적 관계(Therapeutic Movement Relationship)는 내담자의 행위와 치료사의 동작반응과의 공감을 의미하는 것으로 치료사는 내담자의 움직임 표현을 감각적, 시각적으로 인식하여 치료적 연관성을 얻을 수 있고, 반영할 수 있다. 치료적 관계 개념과 관련하여 Chace는 자아설립/ 신뢰구축/ 독립심 육성/ 사회적 인식의 재창조/ 사회적 영향을 받는 동안 자존심 개발과 유지라는 5가지 목표를 정리하였다.

마지막으로 집단의 리듬적 움직임(Rhythmic Group Activity)은 리듬이 있는 집단 움직임과 관계된 것으로 리듬적인 집단 활동은 분담되어진 움직임으로 감정이 표현되어 강한 에너지와 안정감을 경험하게 한다. 마치 원시인들이 공동체에서 음악과 춤을 혹은 리듬행위를 통해 숭배와 협동심을 굳건히 하는 것처럼, 우리가 "대~

한~민~국!"이라고 손바닥을 치며 응원하여 하나가 되는 경험을 하는 것처럼 말이다. 집단의 리듬적 움직임 개념과 관련하여 Chace는 자기 생명력의 감지/ 공유된 경험활동에의 참여/ 집단구성 내의 에너지 전달/ 타인에 대한 인식과 반응/ 상호교감의 촉진/ 본질적으로 다른 감정과 생활스타일을 가진 사람들의 유대화/ 공유된 느낌과 경험들의 인식 전개/ 새로운 지식습득과 자아수용을 위한 개방성 전개라는 8가지 목표를 정리하였다.

지금까지 살펴본 몸의 움직임, 상징주의, 움직임을 통한 치료적 관계, 집단의 리듬적 움직임은 무용동작치료의 이론을 확립하는 데 기초가 되었으며 많은 영향을 미쳤다고 볼 수 있다.

나. Mary Whitehouse의 무용동작치료 이론2)

Mary Whitehouse 역시 무용동작치료의 주요 선구자로 무용교사로 일을 하였으며 현대의 많은 치료사들에게 깊은 영향을 미쳤다. Whitehouse는 무용동작치료의 이론과 실제적인 접근을 발전시켰는데, 무용동작치료의 원리를 신체적 자각(Kinesthetic Awareness), 양극성(Polarity), 적극적 상상(Active Imagination), 전정한 움직임(Authentic Movement) 4가지로 설명하고 있다.

첫째, 신체적 자각(Kinesthetic Awareness)은 근육운동의 알아차림은 신체적 자아에 대한 개인적 내부감각으로 몸에서 일어나는 모

---

2) 권소향(2014), 김유선(2003), 허성재(1994), Levy(2012)의 내용을 재구성

든 현상은 개인이 반응할 수 있고 알아차릴 수 있는 주체가 되는 것으로 이는 단순한 근육이완 운동과는 차이를 가진다. 알아차림이란 움직임을 할 때 주관적으로 어떻게 느끼는지 관계를 지을 수 있는 개인의 능력이다.

둘째, 양극성(Polarity)은 Jung의 분석심리학에 근거하여 양극성은 인생의 모든 면과 감정에서 존재하는 것으로 양극성이 몸과 마음의 기능에 미치는 영향과 무용동작치료 과정에서 이러한 양극적 경향을 관찰할 수 있는가가 중요하다. 무용은 본질적으로 곡선/직선, 좁은/열린, 위/아래, 무거움/가벼움 등 양극적 경향을 가지면 이러한 양극의 움직임은 감정과 밀접한 관련이 있다.

셋째, 적극적 상상(Active Imagination)은 억압된 무의식이 자연스럽게 표현되는 것을 방해하는 방어기제를 완화하여 풀어주는 과정으로 분석심리학의 적극적 상상이 무용동작치료에 적용되었다. 내면의 감정 변화를 움직임의 형태로 표출시키는 동작의 적극적 상상으로 환상과 이미지, 꿈을 가지고 동작에 참여하여 자기(self)를 경험할 수 있다. 이때 극적인 환상으로의 활동적인 상상으로 가는 것이 가능하다.

마지막으로 진정한 움직임(Authentic Movement)은 틀에 박힌, 경직된 동작에서는 개인의 정서와 감정이 드러나지 않기 때문에 얼마만큼 진정한 움직임이 일어나는가가 중요하다. 의식적으로 지시되지 않은 동작이 표현되어야만 진정한 경험이 될 수 있다.

5. 연극치료

1) 연극치료의 개념

연극치료는 연극의 기원에서부터 시작되며 연극은 본질적으로 제의와 놀이의 속성을 지닌다(박미리, 2020). 고대사회의 종교적 의식을 떠올려보면 화려한 옷을 입고 가면을 쓴 사람들이 음악에 맞춰 춤을 추고 소리를 내는 장면이 그려질 것이다. 이러한 제의는 우리나라의 굿을 떠올리면 조금 더 쉽게 이해될 수 있는데, 영화나 미디어에서 보이는 굿판은 무당이 있고, 굿을 드리는 사람이 있고, 굿을 구경하는 구경꾼들이 있다. 무당은 화려한 옷을 입고 보통 신이나 죽은 영혼을 불러 대화를 나누며 직접 매개함으로써 샤머니즘적인, 초인간적인 세계의 신적인 존재나 영혼을 통해 악마를 쫓거나 병을 치료하고, 불행에서 보호하고 축복을 기원하는 주술적 치료행위를 한다. 이는 무당이 어떤 역할을 통해 치료를 이끄는 것이라고 볼 수 있으며 연극의 본질이라 할 수 있는 제의는 치료적 기능을 포함하고 있다는 것을 알 수 있다.

우리는 어린 시절 누구나 가상의 세계에서 상상력을 발휘하며 다양한 역할을 만들어 현실과 가상의 공간을 오고 가며 역할에 몰입하는 놀이를 하였다. 이는 인위적 행위가 아닌 본능적인 행동으로 인간은 누구에게나 놀이를 하고자 하는 유희적 본능이 있다. Jones는 "놀이는 '진지하지 않지만' 동시에 놀이하는 사람을 강렬하게 그리고 전적으로 몰입시키는, 의식적으로 '일상적' 삶의 바깥에 서는 자유로운 활동"이라고 하였다(박미리, 2020, p. 219 재인용).

　연극치료는 연극과 치료의 만남으로 모든 예술치료가 그렇듯 하나의 정의로만 고정할 수는 없다. 국가별 연극치료협회의 연극치료에 대한 정의는 다음과 같다.

　연극치료는 예술치료의 한 분야로 연극치료사가 참여자의 심리적 문제나 장애를 치료하기 위해 연극 활동을 매개로 사용하는 것을 말한다. 연극치료사는 치료 환경에서 참여자에게 체계적으로 연극 활동을 하게 함으로써 치료적 효과를 이끌어 내어 심신의 건강을 회복하도록 돕는다. (한국연극치료협회)

　연극치료는 사회적, 심리적 문제와 정신 질환 및 장애를 이해하고 증상을 완화시키며 상징적 표현을 촉진하는 수단으로서 그것을 통해 내담자들은 음성적이고 신체적인 소통을 유발하는 창조적 구조 안에서, 개인과 집단 안에서 자신을 만날 수 있다. (영국연극치료사협회)

　연극치료는 증상 완화, 정서적이고 신체적 통합, 개인의 성장이라는 치료 목표를 성취하기 위해 의도적으로 드라마/연극을 활용하는 것이다. (전미연극치료협회)

　이처럼 연극치료는 결국 치료의 목적을 가지고 치료사와 내담자가 만나 연극 활동을 통해 삶의 회복, 변화, 성장을 촉진하는 것이다. 박미리(2020)는 연극치료를 <그림 7>과 같이 연극 활동을 통해 구체적인 이야기와 역할 그리고 감정을 수단으로 하여 시간(과거, 현재, 미리)과 공간(현실, 상상, 자연), 사건(역할)을 생생하게

재현하는 경험을 하며 내담자가 '몸'을 통해 사회적 존재로서의 나
'로 회복하는 과정이라고 설명한다.

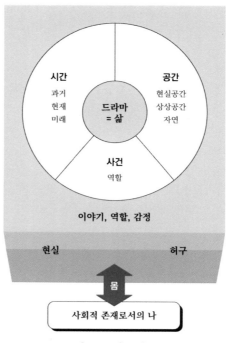

<그림 7> 연극치료
출처: 박미리, 2020, p. 227

가장 일반적인 연극치료의 목표는 내담자가 대상의 역할 레퍼토
리를 확장해 감으로써 개인 역할을 효과적으로 영위할 수 있도록
돕는 것이며 이때 내담자의 욕구와 특성에 따라 구체적 목표는 달
라진다(Landy, 2002).

연극치료의 시초는 프랑스의 De Sade가 수감자의 해방감과 심리정
서적 치유를 위해 연극을 사용한 것에서 연극의 치료적 기능이 내
포한 것으로 여겨 그를 연극치료의 창시자로 간주하고 있으나, 더
욱 논의되고 확장되지 못한 채 그의 개별적 활동에 그쳤다(김진숙,
1993). 이후 영국의 연극교육학자인 Slade가 1956년에 연극치료라
는 용어를 처음 사용하였으며 1960년 초 영국에서 연극교육, 교육
연극, 치료극 등으로 발전하였다(홍은주 외, 2017). 미술치료, 음악
치료 등과 마찬가지로 연극치료도 20세기 전후에 심리학자와 정신
의학자에 관심을 받았으며 국내에서는 1990년에 처음 소개되었고,
2000년도 이후 몇몇 대학원에 연극치료 전공학과가 개설되어 본격
적으로 치료사 양성이 이뤄지고 있으며 관련 학회와 협회가 설립되
었다(최윤주, 2013).

2) 연극치료의 특성과 효과

연극은 몸을 통한 표현이며 행위자의 몸을 떠나서는 가능하지 않
다. 연극치료에서 역시 몸은 개인의 존재와 정체성을 이루는 바탕
이자 드러내는 중요한 요소로 모든 과정을 몸을 통해 경험하게 되
고 몸을 통해 행동으로 외현화한다(이효원, 2008). 몸의 감각과 형
상, 자세와 움직임은 감정과 생각을 저장하고 표출하는 행위로 알
아차리지 못한 경험을 탐색하고 표출할 수 있는 가장 직접적이고
솔직한 매체이다. 연극치료에서는 일반적으로 무반응 상태 - 감각하
는 몸 - 연극하는 몸 - 현존하는 몸(실존적 몸)의 변화를 경험하는

데 이러한 몸 상태의 변화는 연극치료의 중요한 목표로 경험해야 하는 과정이다(박미리, 2020). 치료 현장에서 만나는 많은 내담자들은 다양한 어려움을 가지고 있으며 일부는 감각이 둔하거나 현실 지각이 잘되지 않는 등 제대로 감각하지 못하기도 한다. 이때 몸의 감각을 할 수 있다는 것은 자신의 어려움을 인식하고, 치료에 대한 의지를 가지고, 증상이 호전되었다는 것을 의미한다(현미자, 2023).

인간은 누구나 수많은 이야기와 함께 살아가기 때문에 연극 역시 결말이 어떠하든 특별한 삶의 이야기가 담긴다. 연극치료는 내담자가 자신의 이야기를 하도록 돕는 것인데, 연극치료에서 이야기는 삶을 변화시키는 하나의 방식으로 누구나 다 아는 이야기 또는 자신이 경험한 이야기, 즉흥 이야기 등 특정한 주제나 내용을 끌어낸다. 이야기를 통해 연극 장면을 구성하고 내담자는 역할 입기를 통해 이야기를 직접 살아보고 변형할 수 있으며 이 과정에서 내담자의 이야기는 달라질 수도 있다(현미자, 2023). 이처럼 이제까지의 자신의 삶을 보여줌과 동시에 새롭게 다시 써갈 수 있는 자기 이해와 문제 해결 과정으로 이야기는 연극치료의 중요한 치료적 도구로 '창조적 가치'가 활성화되도록 도와 자신에게 맞는 삶의 태도와 잠재력을 찾아 '경험적 가치'를 형성하게 한다(송진라, 2018; 이지홍, 2018).

역할은 연극적 용어이자 사회적 개념으로 개인이 어떤 상황에서 누군가를 대상으로 행하는 행위와 태도로 내담자는 어떤 인물을 끌어내거나 새로운 역할을 창조하고 연기함으로써 내가 아닌 다른 존재가 되기도 한다(정은선, 2021). 연극치료에서 연극은 치료 전체

과정에서 모방과 변신으로 평소 자신이 아닌 역할로서 존재하는 역할 입기, 극적 세계에서 입었던 역할 벗기, 역할 변형 등의 방식으로 중요하게 다뤄지며 허구의 세계이지만 마치 진짜처럼 역할을 연기함으로써 관계를 맺고 갈등을 경험하며 이러한 과정에서 균형과 질서, 통합을 추구하게 된다(Landy, 2002).

연극은 별도의 시간이자 공간으로 구성된 하나의 극적 현실 세계를 창조하고 일상 현실에서 극적 현실로 이동한다. 일상의 경험으로부터 확보된 극적 거리는 실제에서 상징으로, 구체적인 것에서 비유적인 것으로 이동할 수 있게 하며 일상 현실의 경험이 극적 현실로 옮겨감으로써 경험의 변형이 가능해진다(Jennings et al., 2010). 이처럼 연극치료는 상징과 은유로 허구적인 세계로 내담자를 끌어드리는데 기존의 경직된 몸과 사고로 반복적으로 어려움이 나타나거나 시간과 공간적 제약 속에서 자신을 규정하는 일상 현실에 비해 극적 현실은 어떠한 제약도 없고 '만약~라면'이라는 가정에 대한 믿음으로 나의 의지에 따라 모든 것이 변형될 수 있어 유연하고 자유롭고 안전하다(이효원, 2008). 이처럼 '만약'이라는 허구가 주는 상상은 비교적 안전하게 감춰져 있던, 의식하지 못했던 진실을 만날 수 있도록 한다.

이와 같은 연극치료의 특성은 치료적 동력이 되어 내담자의 정서적, 신체적 통합과 회복과 성장을 이룰 수 있는 연극치료의 효과는 다음과 같이 정리할 수 있다(소희정, 2018). 첫째, 심리적 거리조절을 통한 심신의 통합을 이룬다. 둘째, 카타르시스 효과를 통해 억압된 감정을 해소할 수 있고 적절한 감정을 표현할 수 있다. 셋째, 제한된 역할 레퍼토리 확장을 가져온다. 넷째, 자발성 회복을 통한 자신감이 증진된다. 다섯째, 자기 자신을 있는 그대로 인정하고, 받아들임으로써 자존감이 향상된다. 여섯째, 다양한 역할 연기를 통해 사회성이 길러진다. 마지막으로 안전한 공간에서의 놀이를 통해 무의식 탐색이 가능하며 창조성이 발달된다.

3) 연극치료의 진행 과정

연극치료 회기는 준비(웜업, 초점 맞추기) – 본 활동 - 마무리(완결) 단계로 구성된다. 한 회기에 처음, 중간, 끝의 과정을 모두 포함하며 연극치료 작업에서 각각 다른 기능을 한다. 연극치료 현장에서 행동의 언어라는 측면에서 집단의 기능을 돕고, 집단을 하나로 묶어 내며, 창조적 작업을 자극할 수 있는 환경과 분위기를 창조하는 데 도움을 준다(Jennings et al., 2010).

준비 단계는 연극치료 작업에 준비가 되도록 돕는 활동으로 일상 현실에서 극적 현실로 자연스럽게 넘어갈 수 있도록 내담자가 몸과 마음을 이완하며 치료 과정에서 다루게 될 내용에 관심을 갖도록 유도한다(홍은주 외, 2017). 주로 신체 활동이나 게임을 통해 집단의 에너지를 향상시키거나 호흡을 가라앉히는 등의 활동으로 세션을 시작한다. 또한, 치료사가 집단의 역동을 관찰하고 회기 내에서 구체적으로 어떤 작업을 할 것인지 정할 수 있도록 연극의 초점이 되어 줄 주체와 감정을 살피는 시간이기도 하다(Jennings et al., 2010). 준비 단계에서 치료사는 세션의 규칙과 약속을 제시하고 치료사와 내담자의 라포를 형성한다.

　본 활동 단계는 창조적 탐험과 극화의 단계로 적절한 드라마 형식을 빌려 주제를 탐험한다(Jennings et al., 2010). 해당 회기에서 설정한 치료 목표에 도달하기 위한 일련의 활동으로 구성된다. 본 활동은 주로 즉흥극 형태로 역할 입기와 역할 벗기, 극적 투사와 변형 등이 이루어지며 이 과정을 통해 투사, 동일시, 전이를 비롯한 거리 두기, 감정이입, 카타르시스 등을 경험할 수 있다(박미리, 2020). 극적 형식과 관련된 작업을 정리하며 극적 현실에서 빠져나와 관객과 행위자의 분리가 뚜렷하게 끝나게 되는데, 이때 만약 내담자가 역할에서 벗어 나오지 못한다면 역할, 정체성의 혼란을 가져올 수 있기 때문에 극적 과정에서 분리될 수 있도록 도와주어야 한다(홍은주 외, 2017). 특히 나이가 어린 내담자, 일상 현실과 극적 현실의 구분이 어려운 내담자, 많은 자극을 받았거나 상처받기 쉬운 내담자, 혼란을 일으킬 수 있는 내담자는 주의가 필요하다. 또한, 조울증, 정신병적 성격장애, 극단적 과잉행동장애 등을 가진 참여자는 연극치료에 적절하지 않을 수 있다.

　마무리 단계는 집단이 표현하기로 선택한 드라마의 최종 결말(Jennings et al., 2010)로 본 활동에서 다뤘던 내용을 더욱 심도 있게 통합하는 단계로 연극치료 공간을 떠나기 위한 단계이다(홍은주 외, 2017). 회기 작업을 마무리하면서 경험과 느낌을 나누고 성찰하는 정리의 시간을 가진다. 이러한 정리의 시간을 통해 일상 현실로 돌아가 준비를 하게 된다. 더불어 마무리 단계는 그날의 회기를 정리하는 차원이기도 하지만 다음 회기를 준비하는 예비 작업의 과정이기도 하다(박미리, 2020).

4) 연극치료의 주요 이론

연극치료는 우리가 살아가면서 경험하는 무수히 많은 어려움을 허구의 세계에서 상징적으로 탐색하고 직면하고 변형하고 통합하여 개인의 삶을 회복하는 것으로 여러 가지 접근 방법의 모델, 즉 이론이 있다. 연극치료의 주요 이론 파트에서는 연극치료에 대한 이해를 돕고자 현대 연극치료의 대표적인 학자인 Johnson, Jennings, Landy의 이론을 살펴보도록 한다.

가. Johnson의 구조적 역할 모델 이론

Johnson은 대상관계 이론과 심리발달 모델을 근거로 하여 구조적 역할 모델(Structural Role Model)을 개발하였다. 구조적 역할 모델의 핵심은 변형(transformation)으로 치료사와 내담자가 관계를 맺으며 즉흥 연기 속에서 주제와 역할이 자연스럽게 나타나고 변화해 가도록 흐름을 따르는 기법이다(홍은주 외, 2017). Johnson은 변형을 삶 속의 사건이 극적 사건의 행위적 재현으로 변형, 일상생활에서 만나는 사람들이 역할이나 캐릭터로 변형, 오브제들이 어떤 것을 재현한 것으로 변형되거나 혹은 구체적인 특질에 추가적인 의미를 부여함으로써 변형으로 설명하며 변형이 연극치료에서 일어나는 변화에 많은 도움을 줄 수 있다고 하였다(김숙현, 2013, 재인용).

나. Jennings의 EPR 모델 이론

영국의 대표적인 1세대 연극치료사인 Jennings는 출생부터 7살 무렵까지 한 주기를 인간의 극적 발달과정을 몸을 통한 표현을 뜻하는 체현(Embodiment), 자기 생각과 느낌을 외부의 대상을 빌어 표현하는 투사(Projection), 역할(Role)의 개념으로 설명한다. 인간은 누구나 태어날 때부터 어머니와 극적 교류를 시작하는 존재이며, 어른이 될 때까지 체현(E)-투사(P)-역할(R)의 극적 과정을 거치면서 성장해 간다는 것이다(Jennings, 2003). 출생 후 생후 1세가 될 때까지 아기들은 모든 경험과 표현을 몸의 움직임과 감각에 의존하여 물리적으로 그들의 세계를 경험하며(E), 그러다 첫 돌이 지나면서 몸의 감각보다는 인형이 아프다고 말하며 자신의 생각과 느낌을 옮겨놓는 투사적 행동 즉, 몸 바깥의 외부 세계와 구조를 창조해내고(P), 6~7세 무렵이 되면 점차 이야기와 연극으로 인물과 역할(R)을 발전시켜 나가는데, 이 단계들은 한 주기에서 멈추는 것이 아니라 일생동안 계속해서 되풀이되다가 나중에는 대게 체현, 투사, 역할 중 어느 특정 한 가지 표현 형태에 대한 선호로 귀착되는 경향을 보인다(김진영, 2010). 연극치료는 극적 발달과정에서 온전하게 거치지 못하고 특정 표현 형태에 고착되거나 충분히 발달되지 못한 단계를 경험하면서 자연스럽게 체현, 투사, 역할 세 가지 형태의 극적 표현을 조화롭게 발전시키도록 돕는다(Jennings, 2003). 특정 표현이 결핍되지 않고 균형을 맞추고 통합되는 발달이야말로 건강하고 성숙한 발달이라고 볼 수 있다. 또한, 체험을 통한 자기 탐구, 투사를 통한 외부 관계 맺기, 역할을 통한 타인과 외부 세계의 통합은 자기로부터 시작되어 점차 타인과 외부 세계로 영역을 넓혀가는 단계를 거친다.

EPR은 연극치료 작업의 구성 원리이기도 한데, 작업 초반에는 주로 몸으로 부딪치고 낯을 익히며 관계를 형성하는 체현 활동으로 시작하여 다양한 매체와 오브제를 활용하여 안전한 거리를 유지하면서 자기 내면을 탐험할 수 있는 투사 활동에 초점을 맞추고, 축적된 결과물을 장면으로 극화하는 역할 활동으로 이어지는데, 이는 연극치료의 전반적인 작업에 적극적으로 활용되고 있다(김진영, 2010).

다. Landy의 역할 이론

Landy는 미국 연극치료의 개척자이자 대표적인 연극치료사로 역할을 이해하는 체계로서 역할 이론을 개발하였다. 인간은 누구나 하나의 역할뿐 아니라 다양한 사회적 역할을 하며 살아간다. 학생이기도 하지만 누군가의 가족이기도 하고 또 친구이기도 하다. Landy의 역할 이론은 개인이 다양한 역할로 구성되며 다수의 생물학적, 가정적, 직업적, 사회적 역할들을 연기한다는 가정에서 출발한다. 연극치료에서 역할은 개인이 취할 수 있는 가상의 정체성 즉, 페르소나라고 할 수 있으며, 일상 현실에서 내담자의 정체성 전반을 이루는 다양한 양상을 이해하는 데 유용하게 활용된다(Jones, 2013). 그렇기 때문에 내담자가 다양한 역할을 경험하고 체득함으로써 사회적인 관계에서 건강하고 균형 있는 인성을 형성하도록 돕는 것이야말로 연극치료의 중요한 목표이다(Landy, 2002). 주어진 역할들을 적절히 수행하지 못할 때 스트레스와 정서적 어려움을 가지게 되며 발달상으로나 심리적으로 장애가 있는 경우 역할 레퍼토리가 풍부하지 않아 상황이나 대상과 무관하게 경직되어 고착화된 행동 유형에 갇히게 된다(김진영, 2010). 이에 Landy는 연극치료에서 역할을 중요한 치료 요인으로 보았으며 역할을 통한 작업을 제시하였다. Landy는 <표 4>와 같이 84가지의 역할 유형을 선별하여 신체, 인지, 정서, 사회, 정신, 예술 영역으로 나누어 범주화하였으며 이는 내담자를 치료하는 과정에서 많은 정보를 제공해주고 있다.

역할에 따라 행동과 태도가 달라지기 마련으로 내가 이해하지 못했거나 받아들이기 힘들었던 역할 간의 균형을 맞추기 위해 역할의 대립과 갈등을 경험하며 역할을 이해하며 변형해 가고, 하나의 역할에 머무는 것이 아닌 고정된 역할에서 벗어나 새롭고 다양한 사회적 역할을 수행하고 확장해 간다. 이를 통해 앞서 내담자가 삶의 다양한 장면에서 적절한 역할을 자발적이고 진실하게 살아낼 수 있도록 한다(김진영, 2010).

<표 4> 84가지 역할 유형

	연령	1. 아동 2. 청소년 3. 성인 4. 노인
신체	성적 경향	5. 거세된 남자 6. 동성애자 7. 복장 도착자 8. 양성애자
	외모	9. 미인 10. 괴물 11. 평범한 사람
	건강	12. 정신적으로 병든 사람 13. 신체적으로 장애가 있거나 기형인 사람 14. 우울증 환자 15. 의사
인지	-	16. 얼간이 17. 바보 18. 양면적인 사람 19. 비평가 20. 현자
정서	도덕적	21. 순결한 사람 22. 악당 23. 속이는 자 24. 도덕주의자 25. 부도덕한 사람 26. 희생자 27. 기회주의자 28. 고집쟁이 29. 복수하는 사람 30. 조력자 31. 속물 32. 수전노 33. 비겁한 사람 34. 빌붙어 사는 사람 35. 생존자
	감정 상태	36. 로봇처럼 감정이 메마른 사람 37. 불만족한 사람 38. 연인 39. 황홀경에 빠진 사람
사회	가족	40. 엄마 41. 아내 42. 계모 43. 과부, 홀아비 44. 아버지 45. 남편 46. 아들 47. 딸 48. 자매 49. 형제 50. 조부모
	정치, 정부	51. 반동적인 사람 52. 보수적인 사람 53. 평화주의자 54. 혁명가 55. 국가원수 56. 수상, 조언자, 고문 57. 관료주의자
	법	58. 변호사 59. 판사 60. 피고 61. 배심원 62. 증인 63. 검사, 심문관
	사회 경제적 지위	64. 하층계급 65. 노동계급, 노동자 66. 중간계급 67. 상층계급 68. 부랑자 69. 코러스, 민중의 소리
	권위와 권력	70. 전사 71. 경찰 72. 살인자
정신	인간적 존재	73. 영웅 74. 신비가 75. 정통파 76. 불가지론자 77. 무신론자 78. 성직자
	초자연적 존재	79. 신, 여신 80. 요정 81. 악마 82. 마술사
예술	-	83. 예술가 84. 몽상가

출처: 김진영, 2010, p. 30

참고문헌

고은진, 김명신, 박소영, 박지선, 박지은, 위아름...황은영(2014). 올 댓 음악치료 사. 서울: 학지사.

곽현주(2013). 예술치료 효과에 대한 메타회귀분석 : 음악치료, 미술치료, 무용 동작치료-통합예술치료를 중심으로-. 박사학위논문. 충북대학교 일반대 학원.

권소향(2014). 무용/동작치료 방법론에 관한 비교 분석 연구 : 미국 동·서부 주요 선구자를 중심으로. 대구가톨릭대학교 석사학위논문.

권수지(2016). 음악치료사의 주력 임상 대상에 따른 음악치료 목적과 중재 적 용 현황 조사. 숙명여자대학교 석사학위논문.

권주희(2010). 집단음악치료 프로그램이 저소득층 아동의 의사소통과 대인관계 에 미치는 영향. 원광대학교 석사학위논문.

김군자(1998). 음악치료의 이론과 실제. 서울: 양서원.

김기화(2011). 라반의 Effort 요인들의 의미생성구조와 여덟 가지 기본 Effort Action들의 정서적 기호해석 적용가능성 고찰. 한국무용연구, 29(1), 1 77-208.

김봉연(2003). 음악치료의 이론과 적용에 관한 연구. 연세대학교 석사학위논문.

김선명, 김준형(2021). 예술치료의 이론과 실제. 서울: 계축문화사.

김선현(2006). 임상미술치료의 이해. 서울: 학지사.

김성민(2017). 분석심리학과 문학 -예술에 대한 프로이드와 융의 태도의 차이 -. 신학과 실천, 53, 217-254.

김수경(2013). 긍정심리학을 기반으로 한 집단미술치료가 중년여성대학생의 주 부생활 스트레스 지각, 대처방식 및 정신건강에 미치는 효과. 원광대학 교 박사학위논문.

김숙현(2013). 연극치료와 변형 -데이비드 리드 존슨(David Read Johnson)의 발달변형(Developmental Transformations)이론을 중심으로-. 한극연극 학, 1(50), 5-38.

김영철(1993). 현대시론. 서울: 건국대학교출판부.

김유선(2003). Marian Chace와 Mary Whitehouse 무용/동작치료의 방법론에 관한 비교 분석 연구. 서울여자대학교 석사학위논문.

김은화, 최세민(2011). 통합예술치료가 지적장애아동의 적응행동과 부적응행동에 미치는 영향. 예술심리치료연구, 7(4), 17-140.

김익진(2013). 예술치료에서 예술의 의미: 프랑스 예술치료의 이론을 중심으로. 예술심리치료연구, 9(1), 213-237.

김정향(2006). 무용/동작치료 프로그램이 장애아동 어머니의 스트레스 감소에 미치는 영향. 서울여자대학교 석사학위논문.

김진숙(1993). 예술심리치료의 이론과 실제. 서울: 중앙적성 출판사.

김진숙(2003). 애착 유형에 따른 억압의 강도와 스트레스 지각 및 대처방식. 고려대학교 석사학위논문.

김진영(2010). 수 제닝스(SueJennings)와 로버트 랜디(RobertJ.Landy)의 연극치료 이론 비교 연구. 한양대학교 석사학위논문.

김현미, 장연집(2015). 미술치료에서 미술에 관한 개념 모색. 한국심리치료학회지, 7(2), 23-35.

김현희(2004). 표현예술치료로서의 독서치료. 독서치료연구, 1(1), 99-117.

김형숙, 김수연(2008). 심상 이미지를 통한 움직임 개념 교육 : 라반 움직임 분석요소 중 에포트(Effort)를 중심으로. 한국무용과학학회지, 17, 109-119.

김효현(2023). 청소년의 자아성장을 위한 문학치료. 서울: 학지사.

류분순(2008). 무용/동작치료 국내외 현황과 실제에 관한 연구. 무용동작치료 논문집, 9(1), 3-25.

박미리(2020). 연극치료의 이해. 강원대 인문예술치료 교재 출간위원회(편저). 인문예술치료의 이해. (pp. 215-246). 서울: 한국문화사.

박혜정(2018). 표현예술치료의 연구동향 분석 : 1995년부터 2016년까지 국내 학술지 논문 중심으로. 명지대학교 석사학위논문.

배민경(2018). 독거노인의 자아존중감 향상을 위한 통합예술치료 프로그램 연구. 한양대학교 석사학위논문.

변학수(2005). 문학치료. 서울: 학지사.

소희정(2018). 예술심리치료의 이해와 적용. 서울: 박영스토리.

송진라(2018). 청소년의 삶의 의미 발견을 위한 연극치료 연구. 용인대학교 석사학위논문.

양유성(2004). 이야기치료. 서울: 학지사.

원상화(2009). 독일예술심리치료의 발전 동향과 한국예술심리치료 발전을 위한 제언. 예술심리치료연구, 5(1), 1-21.

이근매(2008). 미술치료 이론과 실제 = Art Therapy. 파주: 양서원.

이모영(2009). 미술의 치료적 기능에 관한 탐색적 고찰-지각적 경험에 관한 논의를 중심으로. 미술치료연구, 16(5), 829-848.

이모영(2010). 예술심리치료에서 미적체험의 치료적 차원에 대한 고찰 - 치료 미학논의를 중심으로. 예술심리치료연구, 6(3), 81-104.

이모영(2019). 예술심리치료에서 체화된 인지(embodied cognition)의 치유적 함의. 예술심리치료연구, 15(4), 207-229.

이미경(2014). 집단통합예술치료가 우울한 자활 중년여성의 가족 스트레스, 스트레스 대처, 사회적지지, 자아분화, 우울, 불안 및 신체증상에 미치는 영향. 원광대학교 박사학위논문.

이민용(2010). 인문치료의 관점에서 본 은유의 치유적 기능과 활용. 카츠가연구, 23, 291-311.

이수현(2019). 통합예술치료사의 역량강화를 위한 실험교육 사례연구. 동덕여자대학교 박사학위논문.

이영식(2006). 독서치료 어떻게 할 것인가. 서울: 학지사.

이정숙(2018). 한국무용치료의 이해와 적용. 파주: 이담북스.

이정숙(2021). 내담자 저항, 치료적 관계 및 상담회기성과의 관계 : 상담자 즉시성 개입의 조절효과. 대구대학교. 박사학위논문.

이지홍(2018). 이야기와 자기 만남 -이야기 활용 연극치료에서의 구조적 접근법. 한국연극예술치료학회 학술대회지, 14, 1-18.

이찬숙, 김현경, 조경선, 김태영, 박은미, 조베리명희(2012). 긍정적 행동지원을 활용한 독서치료. 파주: 양서원.

이효원(2008). 연극치료와 함께 걷다. 서울: 울력.

임용자(2004). 표현예술치료의 이론과 실제. 서울: 문음사.

임용자, 유계식, 안미연(2016). 표현예술치료의 이론과 실제 몸으로 하는 심리치료. 서울: 학지사.

임윤선(2006). 예술인의 우울과 자살에 관한 예술치료의 필요성에 대한 연구. 한양대학교 박사학위논문.

월간미술(1999). 세계미술용어사전. 서울: 월간미술.

정광조, 이근매, 최애나, 원상화(2019). 예술치료. 서울: 시그마프레스.

정여주(2003). 미술치료의 이해 -이론과 실제-. 서울: 학지사.

정여주(2016). 미술치료에서 미술의 특성과 창의적 과정의 치료적 의미. 미술치료연구, 23(5), 1221-1237.

정운채(2007). 문학치료학의 학문적 특성과 인문학의 새로운 전망. 겨레어문학.

39, 87-105.

정은선(2021). 사회인지 관점에서 본 연극치료의 역할 경험 -대인정보처리 모델을 기반으로-. 연극예술치료연구, 14, 1-32.

조정옥(2019). 예술철학·예술치료 이야기. 서울: 성균관대학교 출판부.

조희진(2023). 무용동작치료에서 상호주관성 경험과 교육적 함의. 서울대학교 박사학위논문.

주리애(2002). 미술치료는 마술치료. 서울: 학지사.

주리애(2010). 미술치료학. 서울: 학지사.

진다연(2017). 자기 표현적 글쓰기가 중학생 학습자 정서에 미치는 효과 연구. 연세대학교 석사학위논문.

최병철, 문지영, 문서란, 양은아, 김성애, 여정윤(2021). 음악치료학 (3판). 서울: 학지사.

최소영(2016). 문학치료학 이론과 실제. 서울: 도서출판 고요아침.

최신형(2007). 저소득층 부적응 아동의 역량(empowerment)강화를 위한 음악치료 프로그램 연구. 이화여자대학교 석사학위논문.

최애나(2013). 비만아동에 대한 통합예술치료 프로그램 효과 연구: 자아상, 스트레스, 자기효능감, 자아존중감을 중심으로. 예술심리치료연구, 9(1), 121-138.

최윤주(2013). 한국연극치료의 역사적 고찰과 실태. 동덕여자대학교 석사학위논문.

최윤희, 김갑숙, 최외선(2005). 한국·미국의 미술치료 연구동향. 미술치료연구. 12(3), 507-544.

하세경(2003). 현대미술에서 만나는 미술의 치유적 힘. 고려대학교 석사학위논문.

한국문화예술위원회(2013). 예술치유 활성화 추진모델 개발 및 사업타당성 연구.

한국예술치료학회(2010). 예술치료 용어사전. 서울: 양서원.

허성재(1994). 마리안 체이스(Marian Chace)의 무용요법 이론연구. 중앙대학교 석사학위논문.

현미자(2023). 주요 우울장애 개인 연극치료 사례연구 -참여자의 여섯조각이야기와 몸 인식 변화를 중심으로-. 연극예술치료연구, 18, 1-43.

홍유진(2017). 내 안의 나를 깨우는 통합예술치료. 서울: 학지사.

홍은주, 박희석, 김영숙(2017). 아동 청소년을 위한 예술치료의 이론과 실제.

서울: 학지사.

AATA(2017). About Art Therapy. Retrieved from https://arttherapy.org/a
 bout-art-therapy

Ainlay, G. W.(1948) The place of music in military hospital, In D. Schullia
 n & M. Schoen.(Eds.), Music and medicine, 322-351.

American Music Therapy Association(n.d). https://www.musictherapy.org/a
 bout/musictherapy/

Aristoteles. (1990). 시학. (천명희 역). 서울: 문예출판사.

Arnheim, R. (2004). 시각적 사고. (김정오 역). 서울: 이화여자대학교출판부.

Atkins, S. & Williams, L. D. (2010). 표현예술치료 소스북 (최은정, 김미낭
 역). 서울: 시그마프레스.

Atkins, S., Adams, M., McKinney, C., McKinney, H., Rose, L., Wentworth,
 J. & Woodwroth, J. (2008). 통합적 표현예술치료. (최애나, 이병국
 역). 서울 : 푸른솔.

BAAT(n.d.). About Art Therapy. Retrieved from https://www.baat.org/Abo
 ut-Art-Therapy

Bruscia, K. E. (1988). Defining music therapy(2nd ed). Gilsum, NH: Barce
 lona Publishers.

CATA(2017). About Art Therapy. Retrieved from https://www.canadianart
 therapy.org/what-is-art-therapy

Chaiklin, S. & Wengrower, H. (2014). 무용동작치료의 예술과 과학. (류분순,
 신금옥, 김향숙, 박혜주, 이예승 역). 서울: 시그마 프레스.

Clark, A., & Chalmers. D. (2010). The Extended Mind. Menary, R (Ed),
 The Extended Mind(pp. 27-42). MIT Press.

Doll, B., & Doll, C. (1997). Bibliotherapy With Young People : Librarians
 and Mental Health Professionals Working Together. Englewood, Col
 o. : Libraries Unlimited.

Edwards, D. (2012). 이구동성 미술치료(2판). Rubin(편), (주리애 역). 융 학
 파의 분석적 미술치료 (pp. 119-137). 서울: 학지사.

Edwards, D. (2014). Art Therapy (2nd ed). London: Sage.

Espenak, L. (1981). Dance therapy : theory and application. Springfield : C
 harles C Thomas Publisher.

Forestier, R. (2013). 예술치료의 모든 것. (김익진 역). 강원: 강원대학교 출

판부.

Fox, J. (1997). Poetic medicine : the healing art of poem-making. New Y ork : Penguin Putnam Inc.

Gaston, E. T. (1968). Music in therapy. New York : Macmillan.

Halprin, D. (2006). 동작중심 표현예술치료. (김용량 외 역). 서울: 시그마프레 스.

Heninger, O. E. (1981). Poetry Therapy. American Handbook of Psychiatr y(2nd ed). 7, 553-562.

Hogan, H. (2017). 심리상담 이론과 미술치료. (정광조 외 역). 서울: 전나무 숲.

Hynes, A,. & Hynes-Berry, M. (1994). Biblio/poetry therapy--the interacti ve process : a handbook. St. Cloud, MN : North Star Press.

Jennings, S. (2003). 수 제닝스의 연극치료 이야기. (이효원 역). 서울: 울력.

Jennings, S., et al. (2010). 연극치료 핸드북. (이효원 역). 서울: 울력.

Johnson, M.(2012). 몸의 의미. (김동한, 최영호 역). 서울: 동문선.

Knill, P. J., Levine, E. G., & Levine, S. K. (2011). 치료미학 : 표현예술치 료의 이론과 실제. (이모영, 문소영 역). 서울: 시그마프레스.

Kramer, E. (2007). 치료로서의 미술: 크레이머의 미술치료. (김현희, 이동영 역). 서울: 시그마프레스.

Landy, R. (2002). 억압받는 사람들을 위한 연극치료. (이효원 역). 서울: 울 력.

Langer, S. K. (2009). 예술이란 무엇인가. (박용숙 역). 서울: 문예출판사.

Levine, S. K. & Levine, E. G. (2013). 표현과 치료: 철학, 이론, 적용 (최은 정 역). 서울: 시그마프레스.

Levy, F. J. (2012). 무용동작치료: 치유의 예술. (고경순, 김나영, 남희경, 이 상명, 최희아 역). 서울: 시그마프레스.

Malchiodi, C. A. (2004). 미술치료. (최재영, 김진연 역). 서울: 조형교육.

Malchiodi, C. A. (2012a). 미술치료 입문. (임호찬 역). 서울: 학지사.

Malchiodi, C. A. (2012b). 임상미술치료학. (장연집 외 역). 서울: 시그마프레 스.

McNiff, S. (1991). Ethics and the autonomy of images. The Arts in Psyc hotherapy, 18(4), 277-283.

McNiff, S. (2014). 통합예술치료. (윤혜성 역). 파주: 이담북스.

Mees, C. E. (2004). (루돌프 슈타이너의) 인지학 예술치료. (정정순, 정여주 역). 서울: 학지사.

Merleau-Ponty, M. (2002). 지각의 현상학. (류의근 역). 서울: 문학과지성사.

Mettler, B. (1985), 무용예술. (육완순 역). 서울: 금광.

Moon, B. L. (2003). Essentials of art therapy education and practice. Chic ago, IL: Charles C Thomas.

Neukrug, Ed. (2016). 전문 상담자의 세계. (권경인 외 역). 서울: 사회평론아카데미.

Noë, A. (2009). 뇌과학의 함정 : 인간에 관한 가장 위험한 착각에 대하여. (김미선 역). 서울: 갤리온.

Pennebaker, J. W., & Evans, J. F. (2017). 표현적 글쓰기 :당신을 치료하는 글쓰기. (이봉희 역). 서울: 엑스북스.

Rogers, N. H. (2007). 인간중심 표현예술치료 창조적 연결. (이정명 외 역). 서울: 시그마프레스.

Rogers, N. H. (2016). 치유와 사회변화를 위한 집단 인간중심 표현예술. (전태옥, 이수진 역). 서울: 시그마프레스.

Rubin, J. A. (2008). 예술로서의 미술치료. (김진숙 역). 서울: 학지사.

Rubin, J. A. (2010). Introduction to Art Therapy: Sources & Resources. New York: Brunner-Routledge.

Rubin, J. A. (2015). 미술치료학 개론. (김진숙 역) 서울: 학지사.

Schmeer, G. (2011). 정신분석적 미술치료. (정여주, 김정애 역). 서울:학지사.

Schmais, C. (1985). Healing processes in group dance therapy. American J ournal of Dance Therapy 8, 17-36.

Simon, R. M. (2006). 시각과 언어의 예술치료. (최소영 역). 서울: 시그마프레스.

Skovholt, T. M. (2003). 건강한 상담자만이 남을 도울 수 있다. (유성경 외 역). 서울: 학지사.

Standley, J. M., & Prickett, C. A. (1994). Research in Music Therapy a Tradition of Excellence: Outstanding reprints from the journal of music therapy 1964-1993. TX; Natl Assn Music Therapy.

Ulman, E., & Levy, C. (1980). Art therapy viewpoint. New York: Schocke n Books.

Varela, J., Thompson, E. T., & Rosch, E. (2013). 몸의 인지과학. (석봉래

역). 서울: 김영사.

Wadeson, H. (2008). 미술심리치료학. (장연집 역). 서울: 시그마프레스.

White, M. (2010). 이야기치료의 지도. (이선혜, 정슬기, 허남순 역). 서울: 학지사.

Winnicott, D. W. (1997). 놀이와 현실. (이재훈 역). 서울: 한국심리치료연구소.

KB076728

에스와티니,

우리가 모르는 아프리카

에스와티니,

우리가 모르는 아프리카

아프리카마치 Africa March

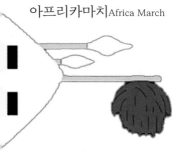

AFRICA
MARCH

　아프리카는 54개의 크고 작은 나라들(UN 기준)로 구성된 광대한 대륙입니다. 그곳에는 섬들이 모여 있는 작은 나라도 있고 광활한 사막을 뽐내는 나라도 있죠. 'Africa March'가 두 번째 국가로 선보이는 나라는 '에스와티니'입니다. 여러분에게 낯설게 느껴질 이 나라 이름은 2018년도까지만 해도 '스와질랜드'였습니다. 해외 뉴스에 관심이 많은 분이라면 스와질랜드는 들어보셨을 겁니다. 아프리카 대륙의 남동부에 위치한 내륙국 에스와티니는 우리나라의 서울과 경기도, 즉 수도권 면적에 지나지 않는 매우 작은 나라입니다. 이렇게 작은 나라인데도 여러 기후를 갖고 있어 한 나라 안에서 다채로운 동식물을 볼 수 있으며, 사파리로도 유명합니다. 또한 에스와티니는 아프리카 유일의 전제군주 국가이자, 다른 아프리카 국가들과 달리 대체적으로 단일 민족으로 구성된 나라입니다. 그리고 축제의 나라입니다. 아프리카에서 매우 인

기 있는 부쉬파이어라는 음악축제와 국내에도 여러 매체를 통해
소개된 갈대 축제가 이곳에서 열리고 있지요.

『에스와티니, 우리가 모르는 아프리카』는 전편인 『카보베르데,
당신이 모르는 아프리카』에서 느꼈던 파도 소리와 모르나 음악의
애상적이면서도 때로는 경쾌한, 그래서 일상을 벗어난 듯한 분위
기와 사뭇 다른 분위기를 선사합니다. 현실을 외면하지 않으며 다
소 무거운 주제를 통해 생각할 거리를 던지고 있기 때문이죠. 필
자들은 글을 쓰는 과정에서 틈틈이 짬을 내어 책의 분위기와 지향
점에 대해 논의했습니다. 세상을 바라보는 시선을 어떻게 설정하
느냐에 따라 글의 분위기가 달라질 수 있다는 것을 알았던 저희는
에스와티니를 보고 느낀 그대로의 생각을 덤덤하게 적어보자고
결정했습니다. 거기에 어쩔 수 없이 우리의 선입견이 들어가게 되
더라도 그 과정에서 우리가 몰랐던 에스와티니를 '스스로' 알아
가게 될 테니까요.
  그래서 이 책에서는 필자들이 에스와티니에 대한 각자의 관심
과 시선을 바탕으로 쓴 글들을 엮었습니다. 스와질랜드에서 에스
와티니로 국명을 변경한 사건에서 정체성을 고민하기도 하고, 스
와질랜드 여행을 통해 겪은 생생한 체험과 단상을 공유하기도 하
고, 우리의 무당과 비슷한 에스와티니의 상고마가 현대의 매체를
잘 이용하여 여전히 영향력을 발휘하는 현실을 전하기도 합니다.

에스와티니를 말할 때 빼놓을 수 없는 주요 특징인 왕국의 역사를 고찰하기도 하고, 나아가 필자 스스로가 왕족이 된 것처럼 상상하며 그들의 일기를 써보기도 합니다. 이렇게 다양한 관심과 접근 방식으로 우리가 해석한 에스와티니를 독자 여러분에게 선사할 시간이 되었습니다. 이 글을 읽고 지금까지 우리가 몰랐던 타자에 대해 갖고 있던 태도를 근본적으로 성찰하고 타자를 제대로 알기 위해 노력하겠다는 마음이 생긴다면, 우리는 이 책의 집필 목적을 달성했다고 감히 말할 수 있습니다.

2021년 여름에, 독자 여러분께 드립니다.

머리글   4

너의 이름은? 정체성에 관한 단상   8

길 위의 스와질랜드   21

/ 잠시 쉬어가기 /   50

어제와 오늘, 일상 속 상고마   51

21세기의 전제군주 – 역사적 배경과 현재   73

에스와티니 왕실 사람들과 그들을 엿보는 우리에 관하여   90

/ 잠시 쉬어가기 /   118

부록   119

참고문헌   123

너의 이름은?
정체성에 관한 단상

"

스와질랜드 헌법 제64조 제3항에 의해 내게 부여된 권한을 행사하여, 나, 음
스와티 3세 국왕은 스와질랜드 왕국의 이름이 에스와티니 왕국으로 변경되
었음을 선포한다. (In exercise of the powers conferred on me by section
64 (3) of the Constitution of Swaziland Act No. 1 of 2005, I, Mswati III,
King and Ingwenyama of eSwatini makes the declaration that the name
of the Kingdom of Swaziland is changed to Kingdom of eSwatini.)

"

김심심
19살에 케냐에서 나미비아까지 아프리카 7개국을 배낭여행한 이후, 아프리카와의 인연을 계
속 이어가고 있다. 나름대로 늘어가는 경험치에 비해 생각을 정리하고 표현하는 데는 점점
젬병이 되어 고민이다.

시선과 권력, 그 한 끗 차이

에스와티니는 아직도 스와질랜드Swaziland라는 이름으로 더 잘 알려진 국가입니다. 2018년 4월 18일 스와지 독립 50주년 기념행사에서 음스와티 3세Mswati III는 국명을 스와질랜드에서 에스와티니 왕국Kingdom of eSwatini으로 변경할 것을 천명했지요.

오늘날 세계에서 국명을 바꾸는 시도를 할 수 있는 사람은 몇 명이나 될까요? 아마 거의 없을 것 같은데요, 그러나 음스와티 3세는 할 수 있었습니다. 음스와티 3세는 아프리카에 마지막 남은 전제군주입니다. 사실, 전제군주라고 하면 먼 옛날에나 있을 법한 구시대적이고 고리타분한 이야기를 떠올리게 하지요. 웹툰이나 드라마를 많이 보는 젊은 세대들은 절대군주제를 작금의 현실과 동떨어진 가상의 세계로 이해할 수도 있을 거예요. 저 역시도 전제군주, 절대왕정이라고 하면 그 옛날 프랑스의 부르봉Bourbon 왕조 같은 것을 먼저 떠올립니다. 절대군주의 위엄을 자랑하는 베르사유 궁전이나 호화로운 문화와 특권을 탐닉하는 왕족과 귀족들이 떠오르는 동시에, 이를 타도한 시민혁명인 그 유명한 프랑스 대혁명도 떠오르지요. 그래서일까요? 민주주의가 최고라고 배우며 자란 저로서는 절대왕정 또는 전제군주가 시민사회에 의해 타도되었어야만 할, 민주주의의 반대편에 있거나 민주주의 이전 단계의 덜 성숙한 사회로 인식되고 있는 것 같습니다.

　에스와티니로 국명 변경과 관련된 외신과 여러 종류의 글을 읽어보았습니다. 대부분이 '독재자'와 다름없는 어느 작은 나라의 전제군주가 본인 마음대로 하루아침에 국명을 바꾼 것처럼 이 사실을 다루고 있었습니다. 국명을 변경한 이유인 '정체성 확립'보다 '스위스와 국명이 헷갈린다!'와 같은 주의를 끌 만한 자극적인 내용을 부각하기도 하고요. 국내 언론과 블로그 대다수도 "스위스와 국명 헷갈려"를 제목으로 쓰거나 마치 독재자 국왕이 국명을 바꾸라고 명령한 것처럼 이 사실을 다뤘습니다. "스위스와 국명 헷갈려서"라는 이유는 음스와티 3세가 실제 한 말이기는 하지만, 한 국가가 국명을 변경한 중차대한 사안을 심도 있게 다루려는 노력은 좀처럼 보이지 않습니다.

　사실 저도 "음스와티 3세가 스와질랜드를 에스와티니로 국명을 바꿨다"는 뉴스를 처음 접했을 때 별로 대수롭지 않게 생각했습니다. 아프리카와 관련된 일을 하고 있는 제게도 에스와티니는 심적으로도, 물리적으로도 가까운 나라가 아니었기 때문입니다. 문서상에 스와질랜드를 '에스와티니(구 스와질랜드)'로 표기해야 하는 번거로움이 더 컸기 때문에 사안에 대해 호기심을 갖기보다는 귀찮음이 더 밀려왔던 것 같습니다. 관련 외신과 기사를 보면서도 국명을 바꾼 것에 대해 공감을 하거나 고민을 하기보다는 '전제군주가 자기 마음대로 그렇게 했나 보다'라고 생각하고 말았지요. 저부터도 전제군주, 왕이라 가능했을 것이라는 편견을 알게 모르게 가지고 있었던 거예요. 그러나 이 글을 쓰면서 저는 이러한 표피적 현상에 눈이 멀어 본질적인 의미를 보지 못했던 것은 아닌가 깨닫게 됩니다. 그래서 이 글은 사안을 피상적으로 또는 자의적으로 취급해 온 저 자신에 대한 반성에서 출발합니다.

그림 1. Naver 뉴스 검색 결과

그림 2. BBC 기사 중 '스와질랜드에 대해 잘 알려지지 않은 사실들'

제가 에스와티니 국명 변경에 대한 자료를 찾으면서 가장 먼저 눈이 갔던 곳은 아무래도 BBC 기사였습니다. BBC는 이름 자체만으로 공신력과 신뢰성을 담보하지요. BBC는 에스와티니로 국명이 바뀌었다는 소식을 전하면서 '스와질랜드에 대해 잘 알려지지 않은 사실들'이라는 소제목으로 독자들의 흥미를 끌만한 '사실들'을 친절하게 나열했습니다. 예를 들어, 음스와티 3세에게는 열다섯 명의 부인이 있고, 선왕 소부자 2세Sobhuza II는 무려 백스물다섯 명의 부인을 두었다, 에스와티니는 기대수명이 낮은 국가로 남자의 기대수명은 54세, 여자는 60세다… 등등요. 이런 친절함은 저를 포함한 많은 이들에게 통하는 것 같습니다. 실제로 우리나라 기사나 블로그에도 BBC의 '친절한' 설명을 인용한 글들이 몇몇 보이네요. 사실을 부정하는 것은 아닙니다. 그러나 수많은 사실 중에서도 어떤 사실을 취할 것인가, 그 사실을 어떤 순서로 나열하고 어떤 뉘앙스로 제시할 것인가는 개인의 선입견에 따라 결정된다는 것을 부정할 수는 없을 것입니다.

BBC는 마치 음스와티 3세가 사견을 공식 석상에서 갑자기 선포한 듯이 에스와티니로의 국명 변경이 예상치 못했던 일이었고, 국명 변경보다 침체된 경제 현안에 더 신경써야 한다고 주장해 온 인사들의 비난을 받았다고 했습니다. 그리고 굳히기 한 문장! 그동안 스와질랜드의 지도층은 정당활동을 금지하고 여성을 차별해서 인권운동가들의 비난을 받아왔다고 지적합니다.[1] 물론 이

---

1) BBC, "Swaziland king renames country 'the Kingdom of eSwatini", 19 Apr 2018, https://www.bbc.com/news/world-africa-43821512

내용 자체를 반박하는 것은 아닙니다. 그러나 주의를 기울일 필요는 있습니다. 여러분은 이런 기사들에서 에스와티니로의 국명 변경이 환영받지 못한다는 느낌을 받지는 않나요? 저는 이 기사들이 '국명 바꿀 시간에 정치나 잘 하세요.'라고 비웃는 것처럼 느껴지는데, 제가 너무 예민한 걸까요?

비약일 수도 있지만, 에스와티니 이야기를 BBC 기사만 갖고서 섣불리 판단하는 것은 우리나라 이야기를 일본 언론을 통해 보는 것과 비슷할 수도 있겠다는 생각도 들었습니다. BBC는 공신력 있는 외신이지만 에스와티니 사람들로서는 이 기사가 무척 편향되었다고 생각할 수 있을 것이고 심지어 좌절감도 느낄 수 있을 것 같습니다.

비교를 위해 다른 기사도 한번 볼까요? 아프리카뉴스africanews 기사의 첫 문장은 이렇게 시작합니다. "스와질랜드에서 에스와티니로의 변경은 음스와티 3세 국왕이 서명한 관보를 통해 공식화되었다. The change of name from Swaziland to eSwatini has been made official through a gazette signed by His

---

2) Daniel Mumbere, "Swaziland name change to eSwatini is now official", 19 May 2018, africanews. https://www.africanews.com/2018/05/19/swaziland-name-change-to-eSwatini-is-now-official/

Majesty King Mswati III."[2] 실제로 에스와티니로의 국명 변경은 하루아침의 결정으로 일어난 일이 아닙니다. 2018년 4월 18일 스와지 독립 50주년 기념행사에서 음스와티 3세는 국명을 스와질랜드에서 에스와티니 왕국으로 변경한다는 '관보를 읽은 것'이지요. 2015년에 이미 국회의원들이 국호변경 문제를 검토하는 등 새로운 국명에 대한 합의가 무르익은 상태였고, 음스와티 3세도 2014년 의회 개회식과 2017년 UN총회 등 공식연설에서 에스와티니라는 단어를 이미 사용했습니다. BBC를 포함한 국내외 기사들이 이런 사실을 언급하지 않는 것은 아닙니다. 그러나 계속 강조하듯이 한 사실을 어떤 순서로, 무엇을 강조하며 전달하는가에 따라 그것을 접하는 사람들의 시선의 방향은 얼마든지 달라지지요.

프랑스의 철학자 미셸 푸코Michel Foucault는 '시선이 권력'이라고 했습니다. 프랑스어로 지식과 권력은 각각 Savoir와 Pouvoir입니다. 이 단어들은 모두 보다Voir라는 단어를 포함하고 있습니다. 시선은 곧 권력이고, 권력은 시선을 담고 있습니다. 시선을 없애는 것은 불가능하지만, 시선이 존재함을 인식하는 것만으로도 문제의 본질에 한 걸음 더 가까워지는 것이 아닐까 생각해 봅니다.

국명으로서의 에스와티니

"내가 그의 이름을 불러주기 전에는

그는 다만

하나의 몸짓에 지나지 않았다.

내가 그의 이름을 불러주었을 때,

그는 나에게로 와서

꽃이 되었다. (후략)"

- 김춘수 '꽃' 중에서

이름의 사전적 정의 중 첫 번째가 '다른 것과 구별하기 위하여 사물, 단체, 현상 따위에 붙여서 부르는 말'입니다. 이름을 붙이는 것, 그리고 그 이름을 부르는 것은 다른 것과 구별되는 특별한 '존재'를 인식하는 행위입니다. 그의 이름을 불러주어야 그가 나에게로 와서 꽃이 되는 것과 같이, 이름을 통해 존재는 의미를 갖게 됩니다. '부르는' 행위에서 간과할 수 없는 것은 언어입니다. 본질에 맞는 이름은 본질을 가장 잘 표현할 수 있는 언어가 있어야 생겨날 수 있고, 그러한 언어로 불린 이름이야말로 가장 적절하게 그 정체성을 드러낼 수 있습니다. 그 예로 빅토리아 폭포Victoria Falls 이야기를 해볼까요? 잠비아와 짐바브웨의 국경을 가르며 인도양

그림 3. 모시-오야-툰야 폭포
빅토리아라는 이름에 미처 다 담을 수 없는 모시-오야-툰야스러움

으로 흘러가는 잠베지Zambezi강 중류에 위치한 이 폭포는 세계 3
대 폭포 중 하나이면서 세계에서 가장 긴 폭포로도 유명하지요.
이 폭포는 빅토리아 폭포라는 이름 말고도 로지Lozi[3]어로 천둥 치
는 연기라는 뜻의 모시-오야-툰야Mosi-oa-Tunya, 통가Tonga[4]어

---

3) 로지는 잠비아 남서부의 바로첼란드(Barotseland) 주(州)에 거주하며 45개 이상의 다양한 민
족으로 구성되어 있다. 언어는 니제르콩고어족(Niger-Congo)의 베누에콩고어군(Benue-
Congo)에 속한다.
4) 여기서 말하는 통가는 잠비아 남부와 짐바브웨 북부에 거주하는 반투집단이다. 남아공과 모잠
비크의 통가와는 언어적으로, 문화적으로 다르다.

로 끓는 물이라는 뜻의 숭구 나무티티마Shungu Namutitima라는 이름을 갖고 있습니다. 실제로 이 폭포를 보게 되면 왜 이런 이름들이 붙여졌는지 대번에 알아차릴 수 있습니다. 그런데 이 폭포를 최초로 '발견했다는' (정확히는 1855년경 유럽사람 중에 처음 이 폭포를 본 것으로 추정되는) 영국의 데이비드 리빙스턴David Livingston이 당시 여왕인 빅토리아의 이름을 따서 빅토리아 폭포라고 명명해버리지요. 그리고 오랫동안 모시-오야-툰야 폭포는 뜻도 없고 본질도 상실된 빅토리아 폭포라는 이름으로 불리게 됩니다.

이름을 되찾는 것은 정체성을 찾는 일과도 같습니다. 아프리카의 대다수 국가들 역시 모시-오야-툰야 폭포가 겪은 것과 같은 일을 겪었습니다. 1960년을 전후로 독립을 쟁취하면서 아프리카 국가들은 각자 자신의 본질에 걸맞은 이름을 되찾았습니다. 독립국 가나와 말리는 번성했던 고대왕국의 이름을 가져와서 과거의 영광을 되찾기를 바랐고, 로디지아Rhodesia는 짐바브웨, 어퍼볼타 Upper Volta는 부르키나파소로 이름을 바꾸었지요. 우리도 머지않은 과거에 비슷한 경험을 했습니다. 1897년에 고종이 대한제국을 수립하면서 우리나라가 자주 독립국가임을 세계에 알렸고, 1919년 4월에는 임시정부가 주권재민의 민주주의 국가, 대한민국을 선포했습니다. 이렇듯 국명을 변경하는 것은 그 나라 국민이 자신과 동일시할 수 있는 조국의 이름을 찾는 과정이며, 너무나도 중요한 의미를 지닌 행위입니다.

아프리카 대륙 대다수 민족이 그랬던 것처럼 스와지 사람들도 유럽 열강에 의한 식민지배를 겪었습니다. 인접한 남아프리카공화국의 영향을 많이 받아서, 1890년에는 남아공을 식민지배하는 영국과 트란스발공화국Transvaal Republic[5] 공동의 보호령이 되었다가, 1906년에는 영국의 보호령이 되었지요. 1940년대 후반까지도 남아공처럼 영국의 식민지배를 받다가 1968년 9월 6일, 에스와티니는 스와질랜드Kingdom of Swaziland라는 이름으로 독립을 하게 됩니다.

에스와티니의 이전 이름인 스와질랜드Swaziland는 식민시대 영국인들이 지은 것으로 스와지Swazi인들의 땅land이라는 뜻입니다. 바뀐 국명인 에스와티니도 같은 뜻이지만, 영어가 아닌 스와지 언어로 말하는 스와지인들의 땅이지요.

사실 에스와티니 내부에서도 국명 변경에 대한 논란이 여전히 있습니다. 오래전부터 에스와티니라는 이름이 사용되었더라도

---

5) 1830년대부터, 아프리카너(네덜란드계)들이 영국의 통치에 대한 반발 등으로 인해 내륙으로 대이동을 시작, 그 결과 발 강 북부의 트란스발 지역에 거주하게 되었으며, 1852년에 트란스발 공화국을 수립한다.

국명을 공식적으로 변경할 때에는 국민이 참여하는 협의 과정이 필요했다는 비판의 소리도 있습니다.[6] 개명에는 대가가 따릅니다. 헌법을 비롯해 정부 기관들의 이름도 변경해야 하고, 신분증과 여권도 교체해야 합니다. 도로표지판, 차량번호판, 그리고 기업들의 이름까지도 바꿔야 할 것입니다. 앞으로 정확히 얼마의 비용이 소요될지 알 수 없고, 여전히 많은 일이 남아있습니다. 에스와티니 정부의 공식 홈페이지는 '에스와티니'라는 명칭으로 업데이트되었지만, 인터넷 주소 도메인은 여전히 .sz로 끝납니다. 국세청을 비롯한 정부 기관들도 예전 이름으로 운영되고 있습니다.

이렇듯 국명을 변경하고 실제에 적용하기까지 상당한 시간이

그림 4. 에스와티니 정부 공식 홈페이지

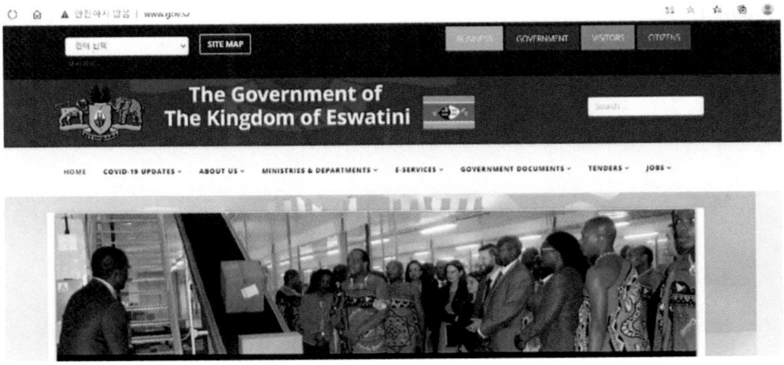

---

6) DW, "From Swaziland to eSwatini: What's in a name change?", https://www.dw.com/en/from-swaziland-to-eSwatini-whats-in-a-name-change/a-45372631#:~:text=From%20Swaziland%20to%20eSwatini%3A%20What%27s,but%20not%20everyone%20is%20happy.

소요될 것으로 보입니다. 그러나 저는 에스와티니로의 국명 변경을 응원합니다. 스와질랜드가 "여기가 스와지인들의 땅이래."라고 말하는 느낌이라면 에스와티니는 "여기가 스와지인들의 땅이야!"라고 말하는 것 같기 때문이지요. 제게 에스와티니로의 국명 변경은 과거 식민시대와의 단절은 물론 시선의 권력으로부터 독립하기 위한 시도로 읽힙니다. 이 글을 다 읽고 난 지금, 여러분은 어떤 생각이 드시나요?

길 위의
스와질랜드[7]

"

목덜미를 스치는 저녁 바람, 그리고 낯선 땅에 떨어진 두 명의 이방인. 한동안
저와 리사는 길을 잃은 사람처럼 멍하니 서 있어야 했습니다. 말을 잇지 못하
는 친구를 보니 꼬집어 말할 수 없는 불안감에 휩싸였던 게 저만은 아니었던
모양입니다. 침을 꿀꺽 삼키고 간신히 입을 열었습니다.

"가자."

"

---

7) 에스와티니 왕국은 과거에 스와질랜드 왕국이었습니다. 당시의 여행 기록을 재구성하여 옮기
는 것이기에 스와질랜드로 표기하는 점 양해 부탁드립니다.

Sarajevo
아프리카학. 어디에서도 못 배울 것 같은 전공을 골랐다. 그 매력에 빠져 지구 반대편을 오가
며 학부 시절을 보냈다. 졸업 후에도 향수는 계속됐던 모양이다. 그날의 기록으로 책을 내는
날이 오다니 말이다.

우리 여기서... 괜찮을까?

"에구구구구···. 삭신이야."

드디어 스와질랜드의 만지니Manzini에 도착했습니다. 제 몸만큼 이나 큰 여행 가방을 품에 안고 옴짝달싹 못한 채로 흔들리기를 수 시간. 버스의 문이 열리자 사람들은 저마다 기다렸다는 듯 자리에서 뛰쳐나갑니다. 밖에서 본다면 흡사 버스가 사람을 뱉어내는 모양새 일 겁니다. 내리자마자 절로 곡소리가 납니다. 주변을 둘러 보니 어 느덧 석양이 가늘게 깔린 저녁이 되어있었습니다.

새로운 곳에 도착하는 순간은 늘 복잡합니다. 상황도 복잡하고 그 속에 선 제 마음도 복잡합니다. 방향을 모르니 응당 누군가에 게는 길을 물어야 하지만 동시에 유달리 다가오는 사람을 경계하 게 되는 묘한 순간이지요. '나 여기 처음이야'라는 태를 벗어내기 위해서는 최대한 빨리 숙소에 가서 큰 짐부터 내려야 합니다. 바 쁜 마음과는 다르게 몸은 쉽사리 움직여지지 않습니다. 저릿저릿 한 다리와 굳어 버린 어깨를 이리저리 돌려주고 있는데 문득 전광 판 하나가 시선을 사로잡습니다. 서로를 다정하게 끌어안은 커플 옆에 이런 문구가 큼지막하게 적혀있었습니다.

"My partner is HIV POSITIVE and I am negative. Our

love is still STRONG"

(제 파트너는 HIV 양성판정을 받았지만 저는 음성입니다. 우리 사랑은 여전히 굳건해요)

그림 1. 터미널 중앙의 광고. 출처: 필자

'응? 이게 무슨 소리야?'

분명 눈으로 읽어 내리고 이해는 했지만, 뇌에서 바로 처리를 할 수가 없습니다. 머릿속에는 이내 수많은 물음표가 팝콘처럼 튀어 올랐지요. '어떻게 커플 중 한 명이 양성인데 다른 한 명은 음성인 거지? 내가 HIV/AIDS에 대해서 너무 무지했던 걸까? 스치기만 해도 옮는 병인 줄 알았는데 실제로는 그렇지 않았던 것일까?

그동안 의학 드라마에서 봤던 장면들은 무엇이었단 말인가? 아니, 그것보다도 왜 터미널 한복판에 이런 광고가 있는 걸까? 이런 사실을 널리 알려야 할 정도인 걸까? 여기가 정말 소문대로 에이즈의 '천국'인 것일까?'

꼬리에 꼬리를 무는 의문들로 머릿속은 혼란스러웠지만 한 가지 사실만은 분명해 보였습니다. 이곳에서 '에이즈의 공포'란 보다 실체적이고 현실적인 수준이라는 사실 말이죠. 물론 에이즈의 악명이라면 익히 알고 있었습니다. 일명 '죽음의 병'이지요. 하지만 누군가 저에게 '살다가 에이즈에 감염될 확률이 얼마나 될까?'라고 묻는다면 저는 고개를 갸웃거릴 겁니다. 병이 주는 공포감에 비해서 실제 삶에서 체감하는 정도는 매우 낮으니까요. 심지어는 도시의 전설처럼 느껴지기도 합니다. 잠시 한국의 공익광고를 떠올려볼까요? 한국에서 접한 공익광고는 대체로 흡연이나 비만의 위험에 관한 내용이었지 HIV/AIDS에 관한 내용은 없었던 것 같습니다. 만약 '한국의 흡연이나 비만만큼 흔한 것이 이곳의 에이즈다'라고 말한다면 너무 큰 비약일까요?

누군가 제게 스와질랜드에서는 어깨를 부딪치는 사람 2명 중 1명[8]이 에이즈 보균자라고 말하기도 했지만, 여행을 준비하던 저에게 그러한 수치는 한낱 '숫자'에 불과했습니다. 마치 일기에 보에서 내일의 적설량이 15cm라고 들을 때에는 별 감흥이 없는 것처럼 말이에요. 그리고 아침에 일어나 온 세상이 하얗게 변한 것을 본 순간 '폭설이구나.'하고 느끼게 되지요. 전광판을 보고 나서야 비로소 등골이 서늘합니다. '여기 정말 심각하구나.'

저는 옆에서 가방을 챙기던 친구[9]를 나직이 불렀습니다.

"있잖아, 리사."
"응?" 친구는 저를 돌아보며 대답했습니다.
"저기 저 광고판 보여?"
"어디?" 리사가 미간을 좁히고 두리번거립니다.
"저쪽에 두 사람이 끌어안고 있는….'
"아! 보인다. 제 파트너는 HIV 양성판정을 받았지만 저는 음성…. 응?"
"그래. 여기도 에이즈 때문에 난리인가 봐."

땅거미가 무겁게 내려앉은 시간인데도 몇 개 켜있지 않은 가로등, 버스의 매연과 흙먼지, 각종 소음에 엉켜 덩어리져버린 외침,

---

8) World Bank의 발표에 따르면 에스와티니에서 2019년 기준 에이즈 발병률은 전체 인구의 약 26%입니다.
9) 필자와 필자의 친구 리사Lisa는 약 2주간 남아프리카공화국-레소토-스와질랜드를 여행했습니다.

목덜미를 스치는 저녁 바람, 그리고 낯선 땅에 떨어진 두 명의 이방인. 한동안 저와 리사는 길을 잃은 사람처럼 멍하니 서 있어야 했습니다. 말을 잇지 못하는 친구를 보니 꼬집어 말할 수 없는 불안감에 휩싸였던 게 저만은 아니었던 모양입니다. 침을 꿀꺽 삼키고 간신히 입을 열었습니다.

"가자."

#왜 스와질랜드에 왔을까요?

아프리카 지역[10]을 전공했다는 일말의 책임감 때문인지도 모르겠습니다. 빈곤, 에이즈, 에볼라, 내전, 테러 등 일반적으로 사람들이 떠올리는 이미지와 일반화를 접할 때면 나름대로 부정하고 반박하고 싶은 순간이 있었습니다. '아프리카 대륙이 얼마나 크고 다양한 모습을 갖고 있는데!'라며 뒷목을 붙잡고 다급하게 말을 꺼낼 때도 있었고요. 하지만 만지니의 버스 터미널에서는 만감이 교차했습니다. 그 모든 편견이 사실임을 나타내는 증거를 마주한

---

10) 필자는 한국외국어대학교 아프리카학부 남아프리카어학과를 졸업했습니다. 그리고 남아공에서 교환학생을, 케냐에서는 인턴을 했습니다.

것 같았으니까요. 애당초 저희는 무엇을 기대하고 이곳 스와질랜드에 온 걸까요?

시작은 그저 '본전' 생각 때문이었습니다. 이 먼 남아공까지 왔으니 온 김에 주변국은 다 가봐야 하지 않을까라는 생각이 들었거든요. 한동안 주변 친구들과 여행 계획을 공유하다 보니 누구도 레소토와 스와질랜드를 언급하지 않는다는 사실을 발견했습니다. 사막으로 유명한 나미비아, 빅토리아 폭포가 있는 잠비아와 짐바브웨, 독특한 생태계를 가진 마다가스카르 등 주변 국가들이 워낙 쟁쟁하다보니 이들은 비교우위에서 밀린 모양이었습니다. 그런데 이때, 비주류에 끌리는 묘한 심리가 발동하지 뭡니까. 무엇이 유명한 곳인지도 모르지만 일단 마음먹고 찾으면 뭐라고 있겠지 싶더군요. 그렇게 즉흥적으로 결정했습니다. 일단 가자! 그러고는 스와질랜드에 와서 처음으로 마주한 장면이 바로 저 전광판이었던 것입니다.

한편으로는 남아공에 살았다면서 왜 그런 장면에 충격을 받았는지 궁금한 분들도 계실 것 같습니다. 사방에 놓인 콘돔 박스는 남아공 곳곳에서 자주 봤습니다. 학교에서는 HIV/AIDS를 포함한 성병 관련 교양 과목을 제공했기에 언제든 관련 정보를 수월하게 접할 수 있었죠. 가끔은 주변에 에이즈에 관해서 물어볼 기회도 있었고요. 하지만 제 친구들은 대부분 '남아공 백인'이었고 그들은 에이즈를 '흑인'의 전유물처럼 표현했습니다. 그렇다고 해서 흑인 친구를 만났을 때 '네 주변에 에이즈 걸린 사람 있어?'라고 대놓고 물어볼 수는 없는 노릇이었습니다. 그러니 에이즈가 만연하다는 사실을 인지하면서도 날 것 그대로의 에이즈를 볼 기회는 없었던 셈입니다. 결국 심각하게 인지했던 것은 초반의 잠시뿐이고 이내 무감각한 상태로 대부분의 시간을 보냈습니다. 도서관 화장실의 콘돔도 시간이 지나자 그저 한낱 화장실 비품처럼 느껴질 정도였으니까요.

외국에서 한국 사람임을 밝히면 받는 질문 중에 대표적으로 이런 게 있었습니다. '북한이랑 전쟁이 날까 무섭지 않아?' 타국인의 시선에서 충분히 궁금할 법도 합니다. 물론 지난 세월을 돌이켜보면 이러다 전쟁이라도 나면 어떡하나 싶은 순간이 있기도 했으니 아예 뜬금없는 질문으로 취급할 수는 없는 노릇이죠. 하지만 저를 포함한 대부분의 한국 사람은 일상에서 전쟁의 '전'자도 떠올리지 않고 살아가지 않던가요? 이유는 잘 모르겠습니다. 어쩌면 너무 오랜 시간 지금의 상태를 유지했기 때문에 불안과 공포를 잊고 있었을지도 모릅니다. 이와 비슷하게 저는 남아공에서 에이즈의 '에'자도 떠올리지 않고 살고 있었던 것 같습니다.

그러다 마치 냄비 속에서 익어가는 개구리가 '뜨거움 주의'라는 경고문을 본 것처럼 새삼 놀라게 되었죠. 큰 기대 없이 왔으니 실망할 일도 없을 줄 알았는데 기분이란 것은 그렇게 호락호락한 녀석이 아니었습니다. 기대감 제로의 상태에서 맞이하는 모든 것들은 플러스(+)일 거라 생각했는데 실은 마이너스(−)의 세계가 있었다는 걸 잊고 있었나 봅니다. 부디 앞으로의 일정은 수월하기를, 좋은 일만 일어나기를 바라게 되었죠. 부정적인 이야기로 글을 시작하게 되어 스와질랜드에 미안한 마음이 듭니다. 하지만 이 작은 나라의 빛나는 면모를 발견하는 데에 그리 오래 걸리지 않았다는 사실 또한 말씀드리고 싶네요.

그림 2. 국경 검문소의 무료 콘돔. 출처: 필자[11]

---

11) 남아공과 스와질랜드의 공공장소에서 쉽게 접할 수 있는 모습입니다.

#부쉬파이어에 안 간다는 건 말도 안 돼요!

"이제 음릴와네Mlilwane로 간다고요? 부쉬파이어에 가나 봐요.
저도 작년에 가봤는데 진짜 끝내줬어요!"

남아공을 떠나는 날 아침에 호스텔 직원이 이렇게 말했습니다.
"글쎄요. 아직 잘 모르겠어요."라고 답하자 직원은 눈을 동그랗게
뜨며 말했습니다. "오늘 스와질랜드에 가는데 부쉬파이어를 안
간다는 건 말도 안 돼요!" 그렇게 강경하게 표현할 정도로 유명한
축제라니 갑자기 흥미가 일었습니다. 본래 일정에 고려하지는 않
았지만 뭐, 여차하면 당일권이라도 끊어서 가보면 되는 것 아
니겠어요? 그렇게 대충 부쉬파이어라는 단어를 기억 저편에 찔러
넣고 잊어버렸을 무렵, 우연히 그 무대를 보게 되었습니다.

소박한 풍경 너머에 요란한 행사장이 있었습니다. 화려한 의상
을 입은 사람들도 상당수 눈에 띄었죠. 버스 옆자리에 앉은 아주
머니께 저게 무어냐고 여쭈었더니 부쉬파이어 축제장이라고 하
시더군요. 호스텔 직원이 눈을 빛내던 바로 그 이름이었습니다.
"유명한 축제예요?"하고 묻자 "그럼요. 정말 큰 축제예요."라고
답해주십니다. 단순히 소규모 마을 축제 정도로 생각하고 있었는
데 현장을 보니 규모가 상당해 보였습니다. 어쩌면 생각보다 훨씬
유명한 축제인지도 모르겠네요.

"침대가 없다고요?"

　예약도 하지 않고 찾아온 저희의 불찰이었습니다. 워낙 큰 숙소여서 언제 가도 자리가 있다는 후기만 믿고 무작정 와 버린 것이지요. 직원은 어깨를 으쓱이며 말합니다. "네. 보통은 늘 자리가 있는데 지금은 아시다시피 부쉬파이어 기간이거든요." 세상에. 또 그이름입니다. 이쯤 되니 부쉬파이어의 정체가 미친 듯이 궁금해지기 시작했습니다. 취소된 자리가 있는지 알아봐준다는 말에 로비에 앉아 기다리면서 검색을 해봅니다. 알고 보니 부쉬파이어는 아프리카 대륙 전역에서 손꼽히는 음악 축제였고 음악 꽤나 즐긴다는 사람들이 전부 모이는 곳이었습니다. 인기 상품이라고 하면 지나쳐가다가도 한 번이라도 더 살펴보게 되는 마음을 다들 아실 겁니다. 어느새 마음 한구석에 '우리도 가봐야 하는 거 아니야?'라는 생각이 슬며시 고개를 듭니다. '날짜를 맞춘 것도 아닌데 딱 이 시기에 방문했다는 것은 어쩌면 운명이 아닐까?' 같은 시답잖은 운명론까지요. 마침 취소된 침대 두 개가 생겨 그곳에 짐을 풀었습니다. 그리고 저녁을 먹으며 리사에게 슬쩍 물었습니다.

"혹시 부쉬파이어 가고 싶어?"
"음…. 사람들이 워낙 얘기를 많이 하니까 궁금하긴 해."
"사실 가고 싶으면 갈 수는 있어. 다만 가게 되면… 이런 부분을 고려해야 하고… 이런 장점이 있을 것 같아."

"그러면…."

그렇게 저희는 저녁 시간을 온전히 부쉬파이어에 가느냐 마느냐를 고민하며 보냈습니다. 결론부터 말하자면 가지 않기로 결정했습니다. 그 대신에 온천행을 택했죠. 이렇게 길게 운을 띄워 놓고서는 뜬금없이 다른 곳에 가기로 결정해 버려 김이 빠지신 분들께는 죄송합니다. 이유는 다양했지만 가장 큰 것은 체력 문제였죠. 스와질랜드에 오기 전 레소토에서 트래킹과 승마체험, 시골길 중간에 서서 언제 오는지 모를 버스 기다리기, 비포장 산길 도로에서 멀미하기, 예상치 못한 고산지대 방문으로 오들오들 떨기, 50L 가방을 품에 안고 버스 타기 등 수많은 상황을 겪으면서 지쳐버린 상태였습니다. 음악 축제에 간다고 한들 과연 즐길 수나 있을까요. 그리고 뜨끈한 물에 몸을 지진다면 얼마나 행복할까요. 물론 아쉽지 않다고 한다면 거짓말일 것입니다. 이런 기회가 또 언제 올지 모른다고 생각하면 더더욱 아쉽고요. 하지만 축제에 가기에는 저희가 너무 너덜너덜했다는 점을 생각하면 지극히 현실적인 결정이었죠.

다만 혹시라도 스와질랜드 여행을 계획하시는 분이 있다면 부쉬파이어 방문을 강력히 추천하고 싶습니다. 호스텔에서 오가며 만난 다른 여행객들 모두가 굉장히 재미있었다고 했거든요. 도대체 왜 안 갔냐는 질문도 귀에 딱지가 앉을 만큼 받았지요. 하하. 길게 설명하기도 구차해서 그저 씁쓸하게 웃어야만 했습니다. 하지만 결국 온천을 택한 덕분에 만난 소중한 인연도 있었으니 인생이란 한 치 앞을 알 수 없다는 말이 맞는 것 같습니다.

#스와질랜드는 왕국이다.

뜨거운 온천수에 몸을 담그니 여독이 씻긴다는 말이 무엇인지 온몸으로 체감할 수 있겠더군요. 아프리카와 온천이라니. 그 누가 상상이나 할 수 있었을까요? 이 둘의 조합은 그 신선함만큼이나 짜릿했습니다. 목욕을 마친 저희는 호스텔에 돌아가는 길에 택시 기사님[12]께 부탁하여 KFC에 들렀습니다.

메뉴를 고르고 기다리는 동안 매장을 둘러보니 한 쪽 벽에 걸린 국왕 음스와티 3세[13]와 국왕 어머니의 사진이 눈에 들어왔습니

---

12) 당시 길에서 무작정 택시를 잡기란 어려웠습니다. 온천에 가면서 두 시간 뒤에 모 호스텔로 가는 택시를 불러줄 수 있는지 물어보았어요. 직원의 지인이 부업으로 택시를 한다며 소개해 주었습니다.
13) 마코세티베 음스와티 3세 (Makhosetive Mswati III)는 소부자 2세의 아들로 1986년에 즉위하였습니다.

그림 3. KFC 매장에 붙어있던 국왕과 국왕 어머니의 초상. 출처: 필자

다. 그 유명한 소부자 2세의 아들과 부인이었습니다. 에스와티니
에서는 국왕을 사자라는 뜻의 응겐냐마Ngwenyama, 국왕의 어머
니[14]는 암코끼리라는 뜻의 은들로부카티Ndlovukati라고 부릅니다.
둘은 본래 권력을 양분하는 관계였으나 오늘날 은들로부카티는
상징적인 존재가 되었고 국왕에게 모든 권력이 집중되었습니다.
위 사진에서도 국왕 어머니의 사진이 살짝 아래에 걸린 것을 볼 수
있지요.

---

14) 은톰비 국왕모 (Queen Ntombi)

사실 이 둘의 사진을 처음 보는 것은 아니었습니다. 국경 검문소를 넘을 때는 '걸어 놓을 수도 있지.'라고 자연스레 넘겼고 호스텔에서 봤을 때는 '호스텔 주인이 국왕을 엄청 좋아하나 보네.'라고만 생각했었죠. 그런데 국제적인 프랜차이즈 요식 업체인 KFC 매장에서도 국왕의 사진을 보게 되니 이제야 '아!'하고 깨닫게 되었습니다. 여기가 스와질랜드 왕국이라는 것을요. 이렇게 눈치가 없었다니. 아쉽게도 현지인의 집에 갈 기회가 없어서 확인하지 못했지만, 가정집에도 저 둘의 사진이 걸려 있다면 더 놀랐을 것 같습니다. 아마 그 순간, 가깝지만 먼 북녘의 그 나라가 떠오르겠죠. 리사에게 북한에는 가정집에서 지도자 사진을 걸어둔다고 했더니 독일도 한때 그랬다며 맞장구를 칩니다. 세상에. 어째서 절대권력은 자신의 사진을 거는 걸 좋아하는 걸까요. 이렇게 공통점을 발견하네요.

21세기 현대 국가의 시점에서 봤을 때 스와질랜드는 특이한 곳이 맞습니다. 지구상에 얼마 남지 않은 전제군주국이니까요. 흥미롭긴 해도 여행객에게 그건 그리 중요한 내용이 아니었습니다. 왕비가 여럿이고 누구와 이혼을 했고 누가 바람을 피웠다는 그저 웃어넘기는 가십일 뿐 여행에 영향을 주는 내용은 아니니까요. 저희는 이들의 얼굴을 스윽 보고 치킨을 챙겼습니다. 일개 여행객이 왕을 만날 일은 없을 테니까요.

#실은 우리 언니가 왕비인데

시내 중심의 버스정류장에는 쉴 새 없이 버스가 오가고 있었습니다. 그러나 저희는 그 어떤 버스도 탈 수가 없었습니다. 이곳 버스는 앞이나 옆에 어디로 가는 버스라는 표식을 붙이지 않았고, 버스 안내원이 문을 열고 지명을 외치면 사람들이 우르르 몰려가서 타는 구조였기 때문이었습니다. 버스 노선을 알 방법이 없었던 우리로서는 버스가 올 때마다 안내원에게 가서 '이 버스 말컨스 Malkerns로 가나요?'라고 물었지만, 대답을 듣기도 전에 버스는 사람들로 꽉 차버리곤 했습니다. 그렇게 넋 놓고 버스를 연달아 놓쳤을 때 어쩐지 '엘리트' 같아 보이는 젊은 여자가 눈에 들어왔습니다. 슬그머니 다가가서 이렇게 말을 걸었습니다.

"우리 말컨스에 가려고 하는데 혹시 어떤 버스 타야 되는지 알려줄래요?"
"저도 그 버스 타니까 같이 가면 되겠네요."

어쩜 일이 이렇게 잘 풀릴까요. 그녀는 마지막 학기를 앞둔 대학생이었고 지원했던 유럽의 대학원에 합격해서 지금은 유학길에 오를 준비를 하고 있다고 했습니다. 저와 함께 여행 중인 친구 리사가 오스트리아 출신이라고 하니 한결 대화하기가 편해졌지요. 처음에는 그저 좋은 사람을 만나 다행이라고만 생각했지만, 곧 그녀의 신분을 알게 되자 저는 극도의 흥분을 감출 수가 없었습니다. 그야말로 사방에 외치고 싶었죠. '대박!' 그녀는 왕비의 여동생이었던 것입니다. 바로 어젯밤만 해도 여행객인 우리는 국왕을 비롯한 로열패밀리와 만날 일이 없을 거라고 생각했는데 이렇게 우연히 왕비의 여동생을 만나게 되다니요.

한낮의 뙤약볕 아래에서 대화는 무르익었고 그렇게 한참을 걸었습니다. 가끔은 지나가는 차들의 먼지에 콜록거리기도 했죠. 그래도 현지인의 시선으로 듣는 스와질랜드 이야기가 너무도 흥미로워서 힘든 줄도 몰랐습니다. 여러분께 저희의 대화를 일부 공유할게요.

[15]유럽에서 공부를 마치고 나면 거기서 지내고 싶어? 아니면 스와질랜드에 돌아올 예정이야?

거기서 취업을 하면 좋겠지만 비유럽인으로는 어렵다고 들었어. 그렇지만 스와질랜드에 돌아오고 싶은 생각이 없어. 졸업하면 모잠비크에 가서 살고 싶어. 어머니가 모잠비크 출신이어서 몇 번 가봤는데 거기가 나한테 잘 맞는 것 같아.

---

15) 당시에 저희 셋이 나눴던 대화를 질문-답변 형태로 재구성했습니다.

남아공은 어때?

남아공은 심각한 범죄가 너무 자주 일어나서 무서워. 위험하잖아. 그리고 차별이 너무 심한 것도 문제야. 백인이라면 모를까 흑인이 살기 좋은 곳은 아닌 것 같아. 스와질랜드에서는 차별 같은 걸 모르고 살았는데 거기는 분위기가 다르니까 적응하기가 어려울 것 같아.

스와질랜드 치안은 어떤 편이야?

스와질랜드가 개발은 덜 되어있어도 남아공만큼 위험하진 않은 것 같아. 범죄가 아예 없다고 말할 수는 없지만, 길을 가다가 갑자기 강도를 당하지는 않거든. 지금도 이렇게 걷고 있잖아. 나는 평소에 자주 걸어 다니지만 심각한 문제가 일어난 적은 없었어.

혹시 갈대축제Reed Dance에 참여해본 적 있어?

그럼, 스와질랜드 여자라면 무조건 참석하게 되어있어. 피치 못할 사정이 아니면 결혼 전까지 매년 참석해야 해. 강제만 아니라면 사실 참석하고 싶지 않아. 알겠지만 갈대 축제에서는 전통 의상을 입고 몸을 드러낸 상태로 다 같이 춤을 춰야 하는데 수많은 사람 앞에서 몸을 드러내는 게 여간 민망한 게 아니야. 게다가 갈대 축제에서는 매년 적어도 한 명 이상의 아이가 죽거나 다쳐. 처녀가 아니라는 게 밝혀지면 스와질랜드 국민 모두에게 그 아이를 때릴 '권리'가 생기거든…. 유학을 가게 되어 좋은 점 중 하나는 갈대 축제에 참석하지 않아도 된다는 거야.

주변에 갈대 축제에서 뽑혀서 왕비가 된 사람이 있어?

실은 우리 친언니가 몇 년 전에 갈대 축제에서 간택돼서 왕비가 됐어. 나도 옆에서 그 과정을 지켜봤지. 왕비가 되고 나면 한동안 가족을 만날 수 없어. 언니를 마지막으로 본 것도 벌써 오래전이야. 정말 보고 싶은데 만날 수가 없어서 너무 아쉬워. 왕은 지금까지 여러 명의 부인이 있었는데 왕과 이혼한 두 명은 스와질랜드에서 추방되었다가 남아공으로 거처를 옮겼어. 지금은 언니가 잘 살기만 바랄 뿐이야.

형제자매가 몇 명인지 물어봐도 될까?

우리 집엔 딸 여덟, 아들이 셋이 있어. 내가 막내딸인데 밑으로는 전부 남동생이야. 부모님이 아들을 가지려고 계속 낳으셨거든. 스와질랜드는 아무래도 남아선호사상이 있어서….

일부다처제에 대해서는 어떻게 생각해? 스와지 남자랑 결혼하고 싶어?

일부일처제가 보편적이다 보니 일부다처제가 이상하게 보일 수도 있는데, 나는 스와지 사회에서 쭉 자라서 그런지 일부다처제가 그리 이상하게 생각되지 않아. 문제가 있다면 이곳 남자들이 진취적이지 않다는 사실이겠지. 나보다 똑똑한 사람과 결혼하고 싶은데 나는 이곳에서 학력이 높은 편이야. 그러다 보니 아무래도 결혼할 남자를 찾기가 어려울 것 같아.

스와질랜드는 에이즈 발병 비율이 높다고 들었어. 네가 느끼기에는 어때?

이곳 사람들은 에이즈에 걸렸더라도 대체로 그 사실을 모르고 살아가. 누군가는 스와질랜드의 HIV/AIDS 비율이 40%가 넘는다고 하더라. 정확한 비율은 모르겠지만 상류층 하류층 구분할 것 없이 많이들 걸렸을 거야. 여자들의 처녀성에 유난히 '집착'하는 것도 에이즈의 영향이 있지 않을까 싶어. 국왕도 어린 여자를 왕비로 삼는 게 그런 이유 때문이 아니겠어?

그녀를 통해 스와질랜드 사회를 엿본 기분이 들었습니다. 남성 선호 사상과 고학력 여성이 결혼하기 힘든 것은 과거 한국 사회를 보는 것 같았습니다. 갈대 축제의 참가자 중 누군가는 관광객들의 시선과 사진 촬영에 수치심을 느낀다는 사실도 알게 되었습니다. 갈대 축제를 구경하며 그 유명한 갈대 춤도 보고 이들의 문화를 느끼고 싶었는데 참가자 개인이 느낄 수 있는 부담감은 한 번도 생각해 보지 않았던 자신을 반성하게 되었지요. 국가 행사라고 해서 온 국민이 반드시 참여하여야 한다는 사실도 놀라웠습니다. 스와질랜드인도 아닌 제가 감히 좋다 나쁘다를 이야기할 수는 없겠지요. 그저 그들에게 선택권이 없다는 사실이 씁쓸했을 뿐입니다. 순결에 관한 충격적인 사실도 빼놓을 수 없겠네요. 이웃 국가 사람들이 보는 남아공은 역시나 범죄와 인종차별의 틀에서 벗어나지 않는다는 것도 안타까웠습니다. 자칫 민감할 수도 있는 여러 질문에 솔직하게 답해준 그녀에게 무척 고마운 마음이 들었습니다.

#어? 이게 되네?

뚜벅이 여행은 가끔 서러울 때가 있습니다. 이날도 여러 차례 버스를 잡으려고 시도했지만 어쩐 일인지 저희가 가려는 방향의 버스는 도무지 나타나지 않았어요. 언제 버스가 오는지 실시간으로 안내해주던 서울의 정류장이 그리웠습니다. 그렇게 한참을 허탕 치고 있을 때 트럭 한 대가 저희 옆에 멈추더군요. 스르륵 하고 내려간 창문 너머로 시선이 느껴졌습니다. '이것은 분명 히치하이킹 타이밍이다.' 본능적으로 직감한 저는 엄지를 척 올리며 행선지를 말했고 끄덕이는 고갯짓에 환호성을 내지르고야 말았지요.

스와질랜드에서는 히치하이킹을 세 차례나 성공했습니다. 숙소가 모두 관광지와 버스 노선에서 동떨어진 곳에 있었던 탓에 부득이하게 시도했는데도 매번 성공하는 놀라운(?) 쾌거를 거뒀지요. 마법 같은 순간은 이런 때를 두고 말하는 게 아닐까요? 하지만 저희의 여행이 늘 이렇게 순탄하지만은 않았습니다. 스와질랜드에 오기 전, 레소토에서는 히치하이킹에 대한 반응이 그리 좋지 않았거든요. 교통편이 너무 꼬이는 바람에 혹시나 하고 도로에서 손을 흔들어 보았지만 지나가는 운전자들이 '미쳤나?' 하는 표정으로 쳐다보아 풀이 죽곤 했었지요. 그런데 스와질랜드에서는 이게 되었던 것입니다. 그것도 세 번이나 성공하니 감격에 겨워 춤을 출 정도였지요.

아마도 운이 따라줘서 좋은 분들만을 만난 것일 수도 있습니다. 이동하는 동안 스와질랜드 현지인의 진솔한 이야기까지 들을 수 있었으니 저희에게는 무척이나 소중한 경험이었지요. 하지만 여러분께는 히치하이킹을 추천하지 않겠습니다. 어디든 위험 요소는 있고 여행자는 무조건 신중하게 다니는 것이 최고니까요. 저희도 버스를 탈 수 있었더라면 이런 시도는 하지도 않았을 겁니다.

#스와질랜드 사람이니까요.

그렇게 만난 사람들 가운데 가장 기억에 남는 분은 음릴와네 공원에서 일하시는 '믹' 아저씨입니다. 원래는 시내 중심지까지만 데려다주시기로 하셨는데 저희 행선지를 들으시더니 '거기까지 가는 버스는 잡기가 어려울 텐데?'라고 말씀하시며 입구까지 데

려다주셨지요. 심지어는 친구에게 전화해서 영업시간도 확인해 주셨습니다. 감사한 마음에 "땡큐! 땡큐!"를 연발하며 어깨를 들썩이던 중 갑자기 궁금한 게 생겼습니다. 아저씨가 전화 통화를 하실 때 스와지어를 유창하게 하시는 걸 들었거든요.

"와…. 스와지어를 정말 잘 하시네요."
"하하. 그렇죠. 여기서 태어났거든요."

대수롭지 않다는 듯 말씀하시지만 저는 흑인의 언어를 하는 백인을 정말 처음 봤습니다. 제가 남아공에 있다 와서 그런 걸까요. 아시다시피 남아공은 인종 분리 정책[16]을 오랫동안 시행하였고 1994년에 그 정책을 폐지하였습니다. 하지만 지금도 생활 속에서 그 흔적을 쉽게 찾을 수 있어요. 가끔은 주변에서 경악스러운[17] 사연을 듣기도 했지요. 10년이면 강산도 변한다는데 사람들의 인식과 습관, 생활 영역에 깊숙이 침투한 관념은 쉽게 변하지 않나 봅니다. 여전히 타 인종과는 절대 교류하지 않고 지내는 사람들도 상당수 존재하더군요. 제도적으로 철폐되었어도 관습적으로는 완전히 사라지지 않았던 거예요.

---

16) 아파르트헤이트(Apartheid)라고 합니다.
17) 언젠가 아프리카마치에서 남아공 편을 쓴다면 사연을 풀어볼 날이 올 수도 있겠죠?

남아공 얘기를 조금 더 자세히 해보겠습니다. 남아공에는 총 11개[18]의 공식 언어가 있는데 이중 영어와 아프리칸스어는 외부에서 유입된 소위 '백인의 언어'이고 그 외 9개는 토착어입니다. 남아공에서는 많은 흑인이 영어를 유창하게 말하는 것은 물론이고 아프리칸스어도 구사하는 경우가 있습니다. 특히 흑백 혼혈인 컬러드[19]는 모어가 아프리칸스인 경우도 왕왕 있었고요. 그런데 백인에게 '줄루어Zulu 할 줄 알아?'하고 물으면 대체로 '아니.'라며 떨떠름한 반응을 보일 때가 있었습니다. 마치 '내가 그걸 왜 배워?'라고 말하는 것처럼 느껴질 정도로 말이죠. 물론 어디까지나 저라는 개인이 6개월 동안 만난 일부 남아공 사람들의 모습이니 전체를 대표할 수는 없을 것입니다. 하지만 남아공에서 이런 분위기를 접하다가 인접 국가인 스와질랜드[20]에서 백인이 유창하게 흑인들의 언어인 스와지어를 구사하는 것은 그야말로 신선한 충격이라고 밖엔 표현할 길이 없었습니다. 그래서 재빨리 질문을 던졌죠.

"남아공에서는 흑인들의 언어를 구사하는 백인을 본 적이 없어

---

18) 화자가 많은 순서대로 줄루(Zulu), 코사(Xhosa), 아프리칸스(Afrikaans), 세페디(Sepedi), 츠와나(Tswana), 영어(English), 소토(Sotho), 총가(Tsonga), 스와지(Swazi), 벤다(Venda), 남부은데벨레(Southern Ndebele) - 출처: CIA world Factbook
19) 컬러드(Coloured)란 흑인과 백인 사이에서 태어난 사람을 일컫는 표현입니다.
20) 스와질랜드의 공식 언어는 스와지어와 영어입니다.

요. 아저씨는 어떻게 스와지어를 배울 생각을 하셨어요?"

그러자 믹 아저씨는 태연한 표정으로 이렇게 답하시더군요.

"스와질랜드 사람이 스와지어를 하는 것은 당연한 일이에요. 저는 여기서 태어나서 여기서 자랐고 앞으로도 여기서 살 거예요."

그 따스한 목소리에 저는 뒤통수를 맞은 것 같은 얼얼함과 함께 민망함까지 느꼈습니다. 스와질랜드 사람이니까 스와지어를 한다. 정말 당연한 사실을 잊고 있었던 거예요. 외국인이 한국인에게 '한국어 잘 하시네요.'라고 칭찬한다면 얼마나 기가 막힐까요. 이러한 감상을 솔직하게 말씀드리며 무례했던 질문을 사과드렸더니 남아공에서 생활했으면 신기하게 생각할 수도 있다며 이해해 주셨죠.

믹 아저씨는 제1 언어가 스와지어이고 다음으로 영어, 줄루어, 아프리칸스어를 배우셨다고 했습니다. 이 부분도 어떻게 보면 신기한 대목이었지요. 보통은 부모님의 언어가 제1 언어가 되는 경우가 많은데 스와지어를 콕 집어 말씀하셨다는 것은 그만큼 평소에 편하게 사용하고 사용할 기회도 많았다는 뜻일 겁니다. 앞서 말했던 남아공과는 분위기가 사뭇 다르죠? 국경을 접하고 있고 경제적으로도 교류가 많은 편인데 인종 문제에서는 이렇게나 다른 양상을 나타내고 있었습니다. 믹 아저씨는 어려서부터 주변에 흑인이나 컬러드 친구들이 많았다고 하시며 이곳에는 인종차별이 거의 없다고 하시더군요. 그렇게 한참을 웃고 떠들다 보니 어느새 목적지에 도착해 있었습니다. 아저씨는 웃으며 이렇게 말씀하셨어요.

'만나서 반가웠어요. 내 나라에 온 걸 환영해요. 즐겁게 지내길 바랄게요.'

#흑인의 왕국에서 백인으로 살아가기란

앞서 히치하이킹을 몇 차례 성공했다고 말씀드렸죠? 사실 믹 아저씨 말고도 저희를 태워주신 분이 계셨는데 그분도 백인 할아버지셨습니다. 역시 이곳 스와질랜드에서 태어나서 자랐다고 하시더군요. 저희와는 영어로 말씀하셨지만 스와지어를 할 줄 아신다고 하셔서 저희는 할아버지에게서 스와지어 인사말 등을 배우기도 했습니다. 생각해 보면 정말 기막힌 우연이었습니다. 오늘 하루 이곳에서 나고 자란 스와지 백인을 두 명이나 만났는데 심지어는 그 둘이 모두 스와지어를 한다는 사실이 말이에요. 그러나

한편으로는 이 우연이 '스와질랜드 왕국'이기에 가능하다는 생각도 들었습니다.

아프리카의 여타 국가들이 강대국에 의해 그어진 국경선으로 인해 민족 간 갈등과 내분을 겪는 데 반해 스와질랜드는 스와지인 단일 민족으로 구성되어 있어 갈등이 적은 편입니다. 아프리카 대륙에서는 상당히 보기 드문 경우이죠. 게다가 영국으로부터 독립한 이후 강력한 전제군주 체제를 견지하며 남아공과는 완전히 다른 길을 걸었습니다. 추측건대 절대군주제를 기반으로 하는 흑인 왕국에서 소수자인 백인이 다수이자 최대 권력자의 인종인 흑인을 차별하기란 불가능했을 것 같습니다. 스와지인의 땅에서 살아가려면 스와지어를 말하고 흑인과 동화되는 것이 당연한 일이었을 겁니다.

#여기도 다 사람 사는 곳인 걸

다시 남아공으로 향하면서 첫날의 만지니 터미널에 도착했습니다. 밝은 아침에 와서 보니 언제 불안했나 싶더군요. 그 날도 낮에 도착했다면 괜한 불안감에 시달리지 않았을 거란 생각이 들었습니다.

그림 4. 병뚜껑으로 체스를 두는 사람들. 출처:필자

　터미널을 한 바퀴 빙 둘러봅니다. 깨끗한 비닐봉지에 손질한 채소를 담아서 파는 가게, 수건이나 슬리퍼 같은 생활용품을 차곡차곡 진열해서 파는 잡화점, 인도 위에 자리를 잡고 보따리에서 한 벌씩 옷을 꺼내며 호객하는 상인들, 장바구니를 들고 돌아다니며 가격을 묻는 손님들, 신발 수선을 기다리는 아저씨, 공중전화에 길게 늘어선 줄, 수확한 채소를 싣고 오는 트럭 등이 보였습니다. 불과 몇십 년 전 한국의 모습도 이렇지 않았던가요? 시골의 오일장도 뇌리를 스치네요. 이곳에 도착했던 첫날 괜한 걱정을 하던 자신이 우습게 여겨질 만큼 사람 냄새 가득한 모습에 흠뻑 빠져들었습니다.

그중에서도 재밌게 본 건 판자에 직접 판을 그리고 플라스틱 병 뚜껑으로 말을 대신해서 체스를 두는 사람들이었습니다. 어떤 테이블에는 여럿이 몰려있는 가운데 심각한 표정으로 훈수를 두는 사람도 있었죠. 훈수 두는 사람은 어딜 가나 있는 걸까요. 서울의 탑골공원 생각에 슬그머니 미소가 지어집니다. 장기 두는 할아버지, 구경꾼, 훈수꾼들이 함께하는 광경이 겹쳐 보이네요.

　이제 떠날 시간이 되었습니다. 버스에 다시금 몸을 구겨 넣고 창밖의 모습을 눈에 담습니다. 짧지만 강렬했던 스와질랜드의 기억을 천천히 되짚어봅니다. 여기서 만난 사람들, 그들과 나눈 대화, 수없이 받았던 호의를 곱씹습니다. 그리고 이렇게 결론을 내렸습니다.

　'에이, 여기도 다 사람 사는 곳인데. 괜히 겁먹었었네!'

잠시 쉬어가기

여행 이야기를 재미나게 읽으셨는지요? 혹시 에스와티니가 어떤 나라인지 궁금하신가요? 아래 영상을 통해 에스와티니의 문화, 동식물과 풍경 관련 자료를 보실 수 있습니다.

1. 에스와티니 왕국 공식 관광 영상 The kingdom of eSwatini official Tourism video

2. 에스와티니의 문화 eSwatini Culture

3. 에스와티니의 야생 eSwatini Wildlife

4. 에스와티니의 풍경 eSwatini Scenery

5. 에스와티니의 갈대축제 (짧은 영상) eSwatini Reed Dance 2019

출처: eSwatini / Swaziland Tourism

어제와 오늘,
일상 속 상고마

> "
>
> 우리는 쉬이 마법에 이끌리고, 초록색 연기에 매료되고, 불꽃과 함께 아스라이 사라지는 무언가를 좋아합니다. 21세기인 지금, 환상이 담긴 사랑의 묘약을 SNS를 통해 거래하는 상고마, 그리고 그 상고마들이 사는 곳, 에스와티니입니다.
>
> 우리는 대개 미디어를 통해 아프리카를 접합니다. 그리고 그 미디어가 보여주는 아프리카는 몇 가지 측면으로 국한되곤 하지요. 그 모습은 우리에게 어떤 편견을 만들어버리기도 하지만 때론 저 멀리 떨어진, 우리와 다른 아프리카 대륙에 대한 흥미를 심어주기도 합니다. 이 글은 미지의 대륙, 신비로운 나라의 이미지에 조금은 보탬이 되었을 아프리카의 토속신앙과 주술사 또는 치료사라고 불리는 상고마를 살펴보려 합니다.
>
> "

조주
나를 키운 건 팔할이 어린왕자. 어린 시절 읽은 어린왕자 속 바오밥나무를 직접 보고 싶다는 바람을 타고 아프리카 여행을 다녀왔다. 여전히 나에겐 '청산'인 아프리카를 품고 무난한 일상을 사는 중이다.

I. 어제의 상고마

1. 남아프리카의 무당? 마녀?

상고마는 우리에게 매우 낯선 개념입니다. 머릿속에 이미지를 그리는 것도 잘 안 되죠. 이야기를 쉽게 시작하기 위해 그나마 우리에게 익숙한 개념을 가져온다면 그건 무당, 그리고 마녀입니다. '남부 아프리카의 무당, 상고마.' 우리에게 친숙한 형형색색의 한복을 입은 무당과 상고마는 비슷한 점이 꽤 많습니다. 상고마가 섬기는 조상 혼령, 아마들로지amadlozi[21)는 조상신이고, 상고마가 되라는 부름을 받는 건 신내림, 만약 이를 거부할 땐 시름시름 신병에 걸리는 것이 그 예겠죠. 과학적인 부분은 아니겠지만 나름의 의식을 통해 질병, 불운 등을 해결해주고, 어떤 길을 제시해준다는 것도 상당히 흡사하고요. 둘 다 약간 무서운 이미지인 것도, 또 방울 같은 어떤 물체를 사용하는 점도 비슷하네요.

또 생각나는 익숙한 이미지는 바로 '마녀'입니다. 동물의 뼈나 약초로 만든 무티muthi라는 약은 마녀가 커다란 가마솥에 넣고 부글부글 끓이는 초록색의 진득한 액체를 떠올리게 하죠. 하지만 미

---

21) 스와지어로는 amadloti, 줄루어로는 amadlozi라고 합니다.

리 선을 긋고 이야기하자면, 상고마는 마녀라기보단 악령이나 마녀를 찾아내는 퇴마사에 가깝습니다. 그래서 본의 아니게 마녀사냥의 가해자가 되기도 하지요. 아프거나 일이 잘 안 풀릴 때 상고마를 찾아갑니다. 그때 상고마는 "자네의 할머니가 이 액운을 불러들인 거야"라고 말하죠. 상고마의 이 말 한마디에 악령, 즉 움타가티umthakathi로 지목받은 사람은 죽임을 당하거나 마을에서 쫓겨납니다. 다소 잔인한 예시인가요? 비합리적이고, 비인간적인 행위 맞습니다. 여기엔 상고마와 그를 찾는 사람들 사이, 그들만의 합리성이 숨어있습니다. 이렇게 지목받는 사람들은 대부분 마을의 이방인이나 이웃과 사이가 좋지 않은 노인 등 일명 '주류'에 속하지 못하는 사람들입니다. 구성원의 행위가 사회적인가 아니면 반사회적인가 하는 것이 선악을 결정하는 잣대로 작용하고[22], '악한' 그들을 처치하고 싶은 사람들에게 상고마의 조언은 좋은 핑계이자 계기가 되는 거죠. 마을의 여론과 질서를 따를 수밖에 없는 상고마의 입은 마을 주류가 비주류를 규제하는 수단인 셈입니다. 그렇지만 앞서 말했다시피 그것은 사회적 폭력이고 엄연한 불법입니다. 제도의 힘이 먼 시골 마을에까지 미치기는 어렵겠지만 인권단체들도 이에 대해 목소리를 내기 시작하면서 피해는 점차 줄어들고 있습니다. 또 제대로 된 상고마는 힘을 나쁜 곳에 쓰

---

22) 장용규. (2000). 줄루 종교 현상의 사회학적 고찰. Asian Journal of African Studies

면 자신의 힘도 약해지고, 좋지 않은 기운, 이른바 업보를 쌓게 된다고 믿기 때문에 의도적으로 남을 해치는 주술이나 범죄인들을 위한 부적 제작 등을 하지 않는다고 합니다.

그러면 무당과 비슷하고 마녀와는 좀 다른 상고마를 부르는 단어들로는 무엇이 있을까요? 상고마는 전통 치료사 또는 치유사, 점쟁이, 주술사, 제사장, 예언자, 지역사회의 관리인 등 여러 이름으로 달리 불립니다. 그만큼 다양한 역할을 맡고 있다는 의미일 텐데요, 앞의 두 명칭은 그들이 약초 등 아프리카 전통 의학을 계승하고 있다는 점에서, 그리고 그 뒤의 명칭은 혼령의 도움을 받아 사람들의 질병과 불행을 살피고 해결해준다는 점에서 붙여졌습니다. 또 상고마는 사람들이 의지하는 남아프리카 전통 사회의 중추이기도 합니다. 에스와티니를 비롯한 남아프리카 사회에서 상고마를 보면, 일상의 일부, 때로는 일상 그 자체라는 생각이 들곤 합니다. 교회에 다니는 기독교인이지만 조상 혼령의 부름을 받아 사람들의 마음을 치유하는 상고마가 된 사람들, 요즘 세상에 누가 상고마를 찾아가냐면서도 병원보다 앞서 상고마를 찾는 사람들이 꽤 있기 때문이지요. 기독교, 이슬람교, 가톨릭 등의 세계적 종교들은 이들의 조상에 대한 기본적인 믿음 앞에서 큰 의미가 없습니다. 그들은 모든 종교에는 조상숭배로 대표되는 민간신앙이 스며들어있고, 조상이 없는 나는 있을 수 없으며, 모든 길흉화

복의 이면에는 조상의 뜻이 있다고 생각합니다. 그러므로 이 조상 혼령의 목소리를 전해주는 상고마에 대한 믿음과 의지는 에스와티니인들에게 일상처럼 당연할 수밖에 없지요. 상고마는 이들의 삶에 스며들어 자신을 찾아온 사람들에게 어떤 행동을 해야 하는지 조언하고, 약을 만들어 악령에서 비롯된 불운을 치료합니다.

영상자료 1. 2. 3

1. 춤추는 상고마 9 years sangoma dancing

2. 상고마 Sangoma

3. 남아공에서 치료 중인 상고마 sangoma healing in south africa

2. 상고마의 삶 알기

상고마가 되기 위해서는 조상의 부름이 있어야 하고 이후엔 훈련을 받아야 합니다. 우리나라 무당들이 신내림을 받는 것처럼 이들 역시 꿈을 통해서 조상 혼령의 부름을 받습니다. 평범하게 살다가도 희한한 꿈이나 환상을 보고 상고마의 길에 들어서게 되죠. 이런 부름을 무시하고 저항하다가 혼령의 원망을 사서 몸이 안 좋아지거나 죽음에 이르기도 합니다. 그래서 상고마가 꼭 되지 않더라도 고통을 줄이기 위해 훈련 과정만 마치기도 합니다. 훈련은 상고마의 수제자로 들어가 기술을 전수받는 식으로, 또는 일종의 학교처럼 여러 훈련생이 있는 곳에서 금기를 지키며 기술을 배우는 식으로 이뤄집니다. 훈련은 1년 이상의 시간이 걸리기도 하는데 이 기간에는 다른 사람과 다투거나 악수, 성관계를 하지 않는 등 특정 금기를 지켜야 합니다.

이들이 배우는 기술 중에 아마탐보Amathambo라고 불리는 뼈를 던지는 법이 있습니다. 아마탐보는 점술 혼령이 깃든 뼈로, 대개 소나 염소의 복사뼈를 사용하지만 나무 열매, 조개껍데기, 플라스틱, 동전 등을 사용하기도 합니다. 훈련생들은 이 아마탐보를 던져 나온 모양을 읽어서 문제에 대한 해결책을 찾는 법을 익힙니다. 또 전통 약인 무티와 그와 관련된 의식을 진행하는 법도 배웁니다. 무티는 대부분 식물의 뿌리나 껍질인데 동물의 지방 등도 사용됩니다. 관련 의식은 다양합니다. 무티를 목욕물에 풀기도 하고, 쪄서 증기를 마시거나 건조 후 분말로 만들어서 코에 넣기도 합니다. 관장에 쓰기도 하고, 피부에 작은 상처를 만들어 그 위에 추출물인 가루를 올려놓기도 하죠. 이 모두가 병이나 불운을 쫓기 위한 정화 과정입니다.

그림 1, 2. 아마탐보로 점을 치는 상고마

훈련을 마치고 상고마 입문 의례라고 할 수 있는 우구트와사 Ukuthwasa를 치르면 진정한 상고마가 됩니다. 몇 년에 걸친 훈련의 주된 목적은 점술 혼령을 부르고 통제할 수 있는 능력을 기르는 것입니다. 그러한 훈련의 마무리이자 상고마로서의 시작, 아마도 평생을 함께할 점술 혼령을 품는 의식은 보통 이틀에 걸쳐 진행됩니다. 첫날에는 조상 점술 혼령인 응고마Ngoma, 둘째 날에는 외래 혼령이자 떠돌이 혼령인 은다오Ndawo를 불러옵니다. 의식을 간단히 살펴보면, 먼저 염소 등 제물을 바치고, 뱃속의 악한 기운을 없애기 위해 구토를 유발하는 약초 물을 마십니다. 이어 응고마 혼령의 도움을 받아 숨겨진 물건을 찾는 임삐홀로imfihlo의 례를 치르는데요, 이는 보이지 않는 것을 볼 수 있는 능력이 있는지 확인하기 위한 것입니다. 스무고개처럼 상고마 훈련생이 질문하면 군중이 대답하는 식으로 답을 찾아가는 것이지요. 직접 답을 알려주는 건 아니고, 맞는 추측을 하면 크게, 틀린 추측을 하면 작게 화답하는 식입니다. 다음 날에는 은다오 혼령을 불러오는 의례를 치릅니다. 은다오 혼령은 토착 점술 혼령, 곧 조상 혼령인 응고마와 달리 떠돌이 혼령입니다. 고향으로 돌아가지 못한 채 아프리카 땅에서 죽음을 맞이한 백인군인들의 혼령이 그 시초인 것으로 알려져 있는데요, 그러다 보니 힘도 세고 원한 또한 깊어서 다루기가 힘들다고 합니다. 의례는 강에서 치러지고 닭이 제물로 바쳐집니다. 이 모든 의례는 조상을 부르고, 그들을 달래고, 이전의 세속적인 더러움에서 벗어나 정화된 상고마, 영적인 존재로 새로이 탄생하는 과정입니다.

영상자료 4, 5

상고마 훈련 졸업 의식

sangoma graduation (Day 1 & 2), Swaziland

II. 오늘의 상고마

1. 종교에 스며든 상고마

　지금까지의 이야기에서 상고마는 굉장히 '전통적'인 것으로 느껴집니다. 그러면 오늘날의 상고마는 어떨까요? 일반적으로 우리는 전통과 현대를 대비해서 생각하는 경향이 있습니다. 그런 생각의 이어짐 속에서 본다면, 기독교처럼 다른 대륙에서 온 종교는 아프리카의 전통 종교, 조상 영혼을 숭배하는 상고마의 자리를 빼앗을 것 같습니다. 자료마다 조금씩 다르긴 하지만 에스와티니 사람들 열에 아홉은 기독교를 믿습니다. 아주 오래전부터 영국, 네덜란드 등 서구의 선교사들이 이 아프리카 대륙에 기독교를 전파해왔다는 사실을 고려해도 상당히 높은 수치입니다. 에스와티니와 국경을 접하고 있는 남아공은 80%, 모잠비크는 60%, 어딜 가나 교회의 십자가를 볼 수 있는 우리나라도 기독교인의 비율이 30%가 채 안 되니까 말이죠[23]. 이렇게 압도적인 수치만 놓고 본다면 조상 혼령을 섬기는 상고마는 에스와티니 사회에 설 자리가 없을 것 같다는 생각이 듭니다. 무당과 목사의 공존이라고 간결하게 표현해본다면 그 어색한 거리감은 더 여실히 다가옵니다. 하지

---

23) 문화체육관광부 2018년 한국의 종교 현황

만 그들은 하나님 외에는 다른 신을 섬기면 안 된다는 유일신 사상을 가진 기독교와도 나름 잘 지내고 있습니다. 물론 조금만 검색해도 에스와티니를 하나님에 대한 믿음과 우상, 그리고 조상숭배가 뒤섞인 기가 막힌 혼돈의 땅으로 묘사하며 분노하는 선교사들의 글을 넘치도록 볼 수 있지만 말이에요. 그러나 적어도 현지인들은 큰 인지적 부조화 없이 기독교와 자신의 신앙을 모두 수용하며 살아가고 있습니다. 상고마의 능력과 조상을 위한 제물 의례를 인정하고, 이를 이용한 치유를 공식적인 교회 활동으로 생각하면서 말이죠. 교회 예배 시간, 목사님의 설교 후 상고마가 나와 무언가를 뿌리는 모습은 이들에게 낯설지 않습니다. 각종 질병과 불행을 제거하고, 정화하는 일종의 치유 시간인데 일반적인 교회처럼 이 치유가 말씀을 통해서가 아닌 상고마의 방식으로 이뤄지는 거죠.

한국인은 이런 현상을 잘 이해하지 못할지도 모릅니다. 물론 우리나라도 굿과 같이 전통적인 일부 무속신앙을 문화재로 인정하지만, 종교적 관점에서는, 특히 기독교에선 터부시되는 경향이 짙습니다. 아프리카에선 이러한 나름의 공존이 어느 정도 가능한데요, 상고마나 조상 혼령의 개념은 종교보단 문화로서 이들의 일상에 녹아있기 때문입니다. 한 조사에 따르면 조상숭배 의례를 지속하는 이유를 물어보는 질문에 44% 정도가 그것이 자신의 문화이기 때문이라고 답했습니다. 이들의 문화에서는 죽은 조상 혼령도 살아있는 후손과 같이 공동체의 일원입니다. 죽음 이후의 시간이 존재한다는 믿음에 더해 현재 나의 시간은 과거 조상의 시간으로 흘러가고, 이러한 연속성의 측면에서 조상과 우리는 여전히 연결되어 있습니다. 단순히 종교적인 개념을 넘어 사회의 지속성을 보장해주는 전통적인 안전망인 셈입니다.

그래도 적어도 종교의 틀 안에서는 서로 부딪힐 수밖에 없지 않을까 하는 의문이 들기도 하는데요, 충돌이 일어나지 않는 것은 이들의 인식 속에서 신과 조상의 역할이 꽤 명확히 구분되어 있기 때문이 아닐까 싶습니다. 신 또는 초월자가 모든 만물을 창조한 존재라면 조상은 이 땅에서 현재 살아가고 있는 후손들의 삶의 윤곽을 잡고 도와주는 존재입니다. 신은 우주를 지키고 조상은 후손의 작은 일상, 논과 곡식 등을 돌봅니다. 신은 한 번도 보지 못한 막연한 존재이지만 조상 혼령은 얼마 전까지 나와 함께 살았던 할머니, 그리고 내가 죽으면 될 수 있는 존재입니다. 종종 질병이나 불행을 유발하기도 하지만 이는 후손의 잘못된 행실을 바꾸기 위한 일종의 경고로 해석되죠. 조상 혼령은 이처럼 신보다 훨씬 더 친밀합니다. 너무나 위대한 존재인 신과 살아있는 우리 사이에 조상 혼령이 있고, 후손보다 더 큰 힘을 가진 조상은 영혼의 수직 구조에서 가운데에 위치하면서 신과 우리를 연결하는 통로가 됩니다. 조상숭배 의례를 계속하는 이유 중에 문화 외에 일상에서의 보호나 문제 해결이 있는 것도 같은 맥락입니다. 내가 잘살기 위해, 신보다는 훨씬 가깝게 느껴지면서 힘도 있는 우리 조상 혼령에게 잘 보이겠다는 마음가짐인 거죠.

국가적 차원에서도 상고마는 인정을 받고 있습니다. 에스와티니는 왕정 국가이기에 전통과 당위성이 정말 중요합니다. 왕과 그의 어머니는 정치 권력을 지닌 국가의 대표이자 에스와티니의 문화, 종교, 국가적 정체성의 상징이죠. 전통 종교는 창조자 신에 대한 개념과 조상숭배, 전통 의학뿐만 아니라 혼전순결, 일부다처제, 이타주의, 국가에 대한 순종, 애국심 등 에스와티니 사회 체계 유지를 위한 필수개념을 중요 가치로 담고 있습니다. 현 지배 체제를 공고히 하는 수단으로 쓰기에 상당히 적절하죠. 왕과 그의 어머니는 각종 기독교 행사에 참석하면서도 전통 종교, 문화의 대제사장 역할은 유지하며 이 수단을 적극적으로 활용합니다.

그것은 왕실 권력에 정당성을 부여하기도 합니다. 앞서 조상 혼령은 힘을 가지고 있고, 살아있는 우리의 삶에 영향을 미친다는 걸 계속 언급해왔는데요, 에스와티니 사람들은 죽음 이후 보이지 않는 영혼의 세계에 가게 된다고 해도 살아서 가지고 있던 성별, 계급, 지위, 의무를 유지한다고 믿습니다. 그래서 왕족은 죽어서도 다른 조상 혼령보다 우위에서 국가의 안위를 걱정하는 조상 혼령이 되는 것이고, 지금의 왕족은 다른 일반 국민보다 우월한 조상 혼령의 보호를 받는 셈이 됩니다. 이렇게 사회 지배계층이 전통문화와 종교의 '혜택'을 받다 보니 조상 혼령에 대한 믿음에 기반을 둔 상고마의 활동 또한 존중을 받습니다. 결국, 상고마는 이런 지배 체제를 지지하는 위치에 서게 되고, 전통문화와 종교의 관리인으로 인정받게 됩니다.

2. 병원 밖의 상고마

의학 분야는 어떨까요? 전통 의학을 하는 상고마는 서구에서 온 전문적인 현대 의학에 대체될 것 같지만, 종교와 마찬가지로 의학 분야에서의 현실도 예상과 조금 다릅니다. 병원이 있는데도, 사람들은 상고마를 찾아가죠. 몸에 이상을 느끼면 의사가 아닌 상고마에게 가서 조언을 구합니다.

그 이유에 대해 이성적으로 접근하자면, 일단 현대 의학은 수요에 비해 공급이 부족합니다. 현대 의학 시스템이 제대로 갖춰지지도 못한 상황에서 에이즈, 말라리아 등의 전염병은 큰 부담이 됩니다. 아프리카에서 인구 천 명당 의사 수는 0.2명이 채 되지 못하고[24], 우리가 살펴보고 있는 에스와티니의 경우도 0.33명에 불과

합니다[25]. 의사가 환자 한 명을 볼 때 드는 시간, 즉 진료시간도 마찬가지입니다. 한 연구 결과[26]를 보면, 중국, 인도, 파키스탄 등 세계 인구의 절반이 사는 15개국의 진료시간은 5분도 채 되지 않았습니다. 에스와티니는 조사대상에 없었지만 1인당 보건의료 지출비, 즉 환자당 진료비가 진료시간과 대체로 정비례한다는 점과 탄자니아, 말라위, 수단, 나이지리아 등 조사대상에 포함된 아프리카 국가들의 평균을 고려하면 에스와티니 사람들도 의사와 충분한 대화를 나누지 못한다는 것을 예상할 수 있지요. 여전히 많은 이에게 쉽고 편하게, 가장 먼저, 때로는 유일하게 접할 수 있는 치료 전문가는 의사가 아닌 상고마입니다.

또 다른 이유는 조금 전 이유와 비교하면 다소 감성적이라고 할 수 있는데요, 상고마는 "왜?"라는 환자의 질문에 대한 다채로운 답을 해줄 수 있기 때문입니다. 배탈이 난 원인뿐만 아니라 똑같이 밥을 먹었는데 왜 다른 사람은 안 아프고 나만 아픈지에 대해 상고마는 답을 해줍니다. 물론 그 이유가 과학적으로, 이성적으로 납득가지 않더라도 환자는 나의 아픔을 이해받고, 감정적으로 위로받았다는 긍정적인 느낌을 받을 수 있지요. 이렇게 상고마는 단

---

24) World Health Organization's Global Health Workforce Statistics, OECD, supplemented by country data.
25) THE WORLD FACTBOOK_eSwatini.
26) International variations in primary care physician consultation time: a systematic review of 67 countries   https://bmjopen.bmj.com/content/7/10/e017902

순히 의학적 치료뿐만 아니라 상담가, 조언가의 역할까지 하고 있습니다.

여전히 많은 이들의 몸과 마음의 병을 치료해주는 상고마는 오늘날 현대 의료 시스템에서도 중요한 역할을 담당하고 있습니다. 상당수의 아프리카 국가들은 전통 의학과 현대 의학을 정책적으로 통합하고, 전통 약을 함께 사용하고 있죠. 국가 의료 시스템 범주에 넣어 안전성, 효능, 품질 등을 관리하고 건전한 사용을 장려하기 위함입니다. 이러한 흐름에는 세계보건기구 WHO의 지원이 큰 역할을 했습니다. WHO는 전통 의학을 인정, 장려, 수용하는데 상당히 호의적인데요, 'WHO 전통 의학 전략[27]'을 세워 세계 여러 나라의 전통 의학을 강화할 수 있는 정책을 개발하고 실행 계획을 구현하도록 돕고 있습니다. 우리나라의 한의학은 국가 의료 시스템에 잘 편입된 사례로 소개돼있네요. 아프리카 지역 위주로 살펴보면, 지난 2000년 'WHO 아프리카 지역위원회'가 아프리카 국가를 위한 전략을 채택했고, 2001년~2010년이 '아프리카 전통 의학의 10년'으로 선언됐습니다. 이 10년이 지나고 전통 의학에 대한 정책을 수립하고, 인증·교육 시스템을 갖추게 된 아프리카 국가들이 상당히 늘었는데요, 특히 에스와티니 주변에 있는 남아공,

---

27) WHO traditional medicine strategy

나미비아, 짐바브웨나 탄자니아는 꽤 적극적으로 전통 의학을 제도화해왔습니다. 남아공에선 법안이 제정됐죠[28]. 에스와티니는 관련 정책이나 법률 등은 존재하지 않습니다. 여전히 전통 의학을 '비공식적informal' 영역으로 보고 있습니다만, 전통 의학과 약초 연구를 위한 연구소는 있습니다.

　나라마다 차이는 있지만 전통 의학은 점점 현실적인 이유로 인정받고 있습니다. 하지만 '의학적 치료'에 있어서 상고마의 전통 의학은 분명 한계를 갖고 있죠. 그래서 '조금 다른 의학' 분야에서 역할을 담당하기도 합니다. 이 문장의 의미를 에스와티니의 대표적인 골칫거리인 에이즈 사례로 구체화해보겠습니다. 아프리카는 좀처럼 끝나지 않는 에이즈와의 전쟁을 이어가고 있습니다. 에스와티니도 마찬가지인데요, 지난 2019년 기준으로 에스와티니 성인 4명 중 1명은 에이즈를 일으키는 바이러스 HIV 보균자이거나 에이즈 환자입니다. 에이즈는 완치될 순 없지만 HIV바이러스 수치를 낮추는 항레트로바이러스제를 상시복용하면 증세가 호전될 수 있습니다. 그리고 이 에이즈 치료는 반드시 현대 의학을 통해서만 가능하죠. 그러면 상고마들은 에이즈와의 싸움에서 어떤 역할을 할 수 있을까요? 상고마는 병원 밖에서 일합니다. 에이즈

---

28) Traditional Health Practitioners Act 22 of 2007

그림 3. 의료 시스템에 협력하는 상고마

예방법을 조언하고, 에이즈 환자의 발길을 병원 문 앞까지 이끕니다. 에이즈를 조기에 발견하는 것은 치료를 위해서도, 추가 감염을 막기 위해서도 굉장히 중요합니다. 그런데 에이즈 환자 본인이 에이즈에 걸린 것을 인지하지 못하거나 단지 두려워서 병원에 가지 않는 경우도 적지 않습니다. 상고마는 치료사로서, 또는 마을의 어른으로서 조언과 설득을 해서 그들을 병원에 보냅니다. 또 성관계 시 콘돔 사용, 모르는 사람과의 성관계 피하기 등 에이즈 예방법을 적극적으로 알리기도 하죠. 이렇게 현대 의학에 참여하는 상고마의 움직임은 더욱 커지고 있습니다. 현대 의학과 전통 의학은 경쟁 관계가 아니라는 인식, 현대 의학이 '몸의 병'을 치료해준다면 전통 의학은 환자의 '영혼과 마음'을 치료해주는 보완적 관계라는 인식이 점점 퍼지고 있기 때문이죠.

그러면 이번엔 조금 다른 시각의 사례를 보겠습니다. 오랫동안 지속된 에이즈와 달리 단기간에 우리의 일상을 급격하게 바꿔놓은 감염병이 있습니다. 바로 코로나19Covid-19인데요, 오늘날의 코로나 상황에서 상고마는 어떤 활동을 하고 있을까요? 앞서 언급한 보완적 관계는 코로나 상황에서 좀처럼 찾아보기 힘듭니다. 코로나 진단검사나 백신 접종 등을 하는 일반적인 의료인의 범주 안에 상고마는 들지 못합니다. 그러다 보니 코로나 대응을 위한 의료계의 논의에서도 상고마의 목소리는 반영되지 않지요. 코로나 시대에 남아공 보건부가 내놓은 상고마의 가이드라인은 사실상 '배제'에 가깝습니다. 각종 전통 의례를 연기하고, 공중 보건 메시지를 전달하고, 적절한 치료를 안내하라는 지시가 전부입니다.

상고마는 코로나 사태에서 어떤 역할을 하기보다는 오히려 피해를 받고 있습니다. 상고마의 치료와 상담은 얼굴을 마주하고 진행되는데 이동을 금지하는 봉쇄령이 내려지면 사람들이 찾아올 수 없으니 일이 줄어드는 것은 당연한 일이지요. 모임 금지령 때문에 다수가 모이거나 밀폐된 공간에서 하는 의식도 모두 중단됐고요. 그렇다고 해서 상고마의 활동이 완전히 멈춰버린 건 아닙니다. 상고마도 생계를 유지해야 하니까요. 그들은 이제 온라인으로 활동 영역을 넓히고 있습니다.

3. 미디어로 눈을 돌린 상고마

코로나 상황 속에서 비대면 치료와 상담을 하게 된 상고마. 물론 전통적인 상고마의 활동과 다소 거리가 있어 보이지만 상고마도 시대에 따라 변화하지 않으면 안 되겠죠. 특히 코로나 사태는 이러한 변화의 속도를 상당히 빠르게 만들었습니다. 만나서 치유를 하기엔 제한이 너무 많아지자 이들은 온라인 치유를 시도합니다. 전화나 화상채팅으로 상담을 하는 거죠. 이 새로운 수단을 얼마나 잘 이용하느냐에 따라 고객의 범위가 작은 마을에서 다른 나라로까지 확대될 수 있습니다. 코로나 발병 이후, 주변에 상고마가 있는지 알려주는 온라인플랫폼도 생겼습니다. gogoOnline[29]이라는 사이트인데요, 홍보가 어려운 상고마에게, 또 최소한으로 외출해야 하는 의뢰인에게 이것은 시의적절한 서비스이자 일종의 데이터베이스 역할을 합니다. 저도 검색해봤는데 안타깝게도 우리나라에서 만날 수 있는 상고마는 없었습니다.

코로나로 상고마의 치유 활동이 온라인, 비대면 영역으로 확대된 것과는 별개로, 상고마는 예전부터 미디어를 통해 자신과 자신이 하는 일을 알리고, 아주 흥미로운 효과를 지닌 각종 무티를 판

---

29) https://www.gogoonline.co.za/

매해왔습니다. 유튜브 채널에서는 조상 혼령을 설명하고, 우리가 일상 속에서 어떻게 조상 혼령과 연결되어 있는지에 대한 답을 해 주고 있습니다. 페이스북, 트위터 등 SNS에서는 사랑을 이뤄주는 러브 포션을 팔고 있죠.

그림 4, 5. 상고마가 판매하는 러브 포션

그림 6. 상고마 소사이어티 채널

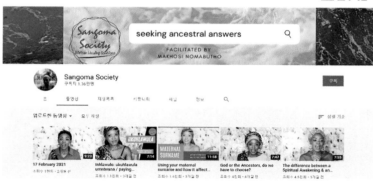

상투적인 말이지만 상고마에게 미디어는 위기이자 기회인 셈인데, 상고마와 지구 반대편에 사는 우리에게도 이것은 기회입니다. 앉은 자리에서 그들의 활동 모습을 시각과 청각, 적어도 이 두 감각으로 나름 생생하게 접할 기회 말이죠. 덕분에 상고마에 대한 궁금증을 해소해줄 여러 영상도 이 글에 첨부할 수 있었습니다.

III. 내일의 상고마?

아주 오래전부터 에스와티니 그리고 아프리카 사람들의 일상을 함께 해온 상고마는 세상의 흐름에 맞춰 함께 변화하며 다양한 분야에서 활동해오고 있습니다. 하지만 상고마의 근원이 결국 조상 혼령이라는 점은 상고마의 내일에 대한 고민과 의문을 피할 수 없게 만듭니다. 점점 더 과학적이고 논리적인 답을 요구하는 사회에서 어떻게 혼령과 소통하고, 꿈을 통해 가르침을 얻는 과정을 '믿지 않는 사람들'에게 설명할 수 있을까요? 현대 의료 시스템에 상고마, 그리고 전통 의학은 통합되는 걸까요 아니면 흡수되는 걸까요? 각종 규제를 받는 공식적인 대상이 됐을 때 상고마의 색깔은 여전히 유지될까요?

상고마는 어떠한 하나의 집단을 지칭하는 것이 아니라 개인입니다. 그러다보니 각자 상고마의 내일에 대한 생각이나 고민의 무게가 다르기 마련일 텐데요, 그 고민 중 하나를 풀어내는 한 상고마의 영상으로 글을 마무리하려 합니다. 어제 상고마를 만나고, 오늘 상고마에게 물은 사람들이 내일도 상고마를 찾게 하고 싶습니다. 영상에 달린 댓글에서 볼 수 있는 정체성, 영성, 뿌리 등의 단어에서 답을 찾을 수 있을까요? 변화 자체를 넘어 사람들에게, 또 이 현대 사회 속에서 '필요'한 존재로 계속 살아가기 위한 변화의 방향은 어디일까요?

영상자료 6

21세기 전통적인 치료사로서의 삶
My life as a traditional healer in the 21st Century
Amanda Gcabashe
TEDxJohannesburg

21세기의 전제군주
__역사적 배경과 현재

"

-나는 투표를 해본 적이 없습니다.

나이가 어리거나 여성이 투표권이 없는 사회에 살고 있나요?

-그렇지 않습니다. 저는 건장한 성인 남성입니다. 그런데도 투표권이 없
  어요.

그럼 본인의 뜻을 위정자에게 어떻게 전달하죠?

-마을 어르신에게 말씀을 드립니다. 하지만 저는 힘도 없고 돈도 없는
  한낱 평범한 사람에 불과합니다.

권력자가 본인이나 가족에게 부당한 일을 하면 어떻게 해결하나요?

-모르겠습니다. 주위의 도움을 구하거나 왕궁 앞에서 읍소해야겠죠.

"

이현
여행을 좋아하고 사진을 사랑하며, 아프리카 종단 여행과 안분지족의 삶을 꿈꾸고 있다.
아프리카의 역사와 경제에 관심이 많다.

위의 대화는 제가 전제군주 시대에 산다고 가정하고 어떻게 정치에 참여할 수 있을지를 상상하며 적어본 것입니다. 몇 년마다 돌아오는 선거에 맘에 드는 인물이 없다고 툴툴거리면서 투표를 해본 경험이 있는 저로서는 조선 시대와 비슷한 전제군주 체제 하의 삶을 상상하기가 힘이 듭니다. 그렇지만 한가지 확실히 점은 전제군주 체제에서는 원천적으로 제가 선택할 수 없는 자가 저와 가족, 친지, 친구들을 통치하고 막강한 영향력을 미친다는 사실입니다. 이런 점에서 저는 투표권이 있다는 사실이 정말로 감사합니다. 우리나라는 해방 이후 성인 남녀 모두에게 공평하게 그리고 당연하게 투표권을 부여했지만, 선진국으로 알려진 서구 유럽 국가들에서 '여성'의 투표권은 2차 세계대전 이후에야 실행되었습니다. 투표야말로 개인이 정치에 참여할 수 있는 대표적인 참여 방법인데 말이죠.

'에스와티니 왕국Kingdom of eSwatini'은 우리가 지금까지 언급한 에스와티니의 정식 명칭입니다. 국제뉴스에 관심이 많은 분은 '스와질랜드Swaziland'를 들어 본 적이 있을 텐데요, 스와질랜드의 새로운 이름이 바로 '에스와티니' 입니다. 독립 당시 영국의 영향을 받은 관계로 영국과 같이 입헌군주제라고 생각할 수 있지만, 실질적으로는 전제군주제[29]입니다. 이 정치 체제는 현재 전 세계 국가 중에 정말 극소수에 해당하며, 아프리카 대륙에서는 유일합니다.

이 나라가 전제군주제임을 알 수 있는 일례를 들어보겠습니다. 이 책의 첫 번째 글에서 이미 읽으셨을 국가명 변경이 대표적 사례입니다. 2018년 4월 18일, 현재 왕인 음스와티 3세Mswati Ⅲ가 본인의 생일이자 독립 50주년 기념식에서 기존 국가명인 스와질랜드 왕국을 에스와티니 왕국으로 바꾼다고 대외적으로 선언했지요, 물론 내부적으로 국회와 그리고 대외적으로 UN에서 국가명 개칭을 언급한 적은 있습니다만, 이것을 한국으로 옮겨서 생각한다면, 대통령이 국민의 지지와 국회의 동의 없이 국가명을 바꿀 수 있을까요? 국가적으로 대대적인 찬반 여론이 일어나며 논란이 벌어질 것이 불 보듯 뻔합니다. 이렇듯 오늘날 한국의 정치 상황에서 이는 쉽게 일어날 수 없는 일이지요. 일반적인 21세기 국가에서는 국가명 변경이 오로지 통치자의 뜻에 따라 일어나지는 않을 것입니다.

　'군림하되 통치하지 않는다'는 유명한 문장으로 알려진 입헌군주제와 달리 전제군주제의 대표격인 절대군주제는 프랑스의 루이 14세의 유명한 말, '짐朕이 곧 국가다-L'Etat, c'est moi'로 단번

---

29) 군주[국왕]가 어떠한 법률이나 국가기관에도 구속을 받지 않고 절대의 권한을 가지는 정치 체제. 절대군주제(絕對君主制) 또는 절대왕정(絕對王政)이라고도 부른다. 그러나 엄밀한 의미에 있어서는 절대군주제와 구별되는 개념이다. 즉, 전제군주제는 16~18세기 이른바 절대주의 시대에 유럽을 지배하던 절대군주제에 국한하지 않고 근세 이전의 동양과 서양 각국의 전제적인 군주제까지 포함하는 개념이다.
출처: [네이버 지식백과] 이해하기 쉽게 쓴 행정학용어사전, 2010. 3. 25., 하동석, 유종해

에 설명할 수 있습니다. 민주주의 국가에 사는 우리에게는 역사 공부를 할 때나 들어보았던 정치 체제이지요. 아프리카에서는 에스와티니가 유일한 전제군주제이고, 우리나라와 비교적 가까운 동남아의 '브루나이'도 전제군주 국가입니다. 제가 그것을 알게 된 것은 대학 시절 브루나이에서 살았던 동기로부터 왕이 새해에 왕궁을 방문한 국민에게 금화를 나누어주었다는 이야기를 듣고서였습니다. 당시 스무 살의 어린 나이였던 저는 그것이 정말 신기하게 느껴졌는데, 금화를 나누어준다는 말에 나도 그 나라 국민이면 좋겠다는 생각도 솔직히 해보았습니다. 그 이후로는 왕이 통치하는 나라를 떠올릴 일은 없었는데, 이번 기회를 통해 다시 한번 생각하게 되네요.

에스와티니의 역사, 그리고 국왕

저는 어떤 나라에 호기심을 갖게 되면 역사부터 찾아봅니다. 역사는 그 나라의 풍습과 정치 상황, 언어 등 현재까지 영향을 미치는 여러 요소를 간접적으로 알려주는 좋은 선생님이기 때문이지요. 그래서 여러분과 함께 에스와티니의 역사를 살펴보려고 합니다.

인류의 요람 아프리카에서 매우 중요하게 취급되는 사건으로 반투어를 사용하는 사람들의 남하를 들 수 있습니다. 그들이 남하한 지역에 위치한 에스와티니가 쓰는 스와지어는 바로 반투어에 속하지요. 스와지어는 아프리카 남부지역의 대표적인 언어인 줄루어와도 비슷합니다. 깊이 들어가면 너무 많은 내용을 다뤄야 하므로 대략 이 정도로만 언급하고 선사시대부터 19세기 초까지의 역사는 생략하겠습니다.

현재와 비슷한 스와지 국가 형성은 응구니Nguni 언어를 사용하는 응구와네Ngwane 사람들부터 시작되었습니다. 그들의 우두머리인 들라미니Dlamini[30] 일족은 인근 줄루족의 위협을 피하여 소부자1세 통치기였던 1820년경에 북쪽으로 이동하여 오늘날의 에스와티니 중심부에 도달했습니다. 이곳에서 1860년까지 인근 지역 침략과 동화 활동을 통해 그 세력을 오늘날의 에스와티니 경계 너머까지 면적을 이전의 두 배로 확장했습니다. 이때 왕은 음스와티 2세로, 그는 후대에 '가장 위대한 전투왕'으로 불리게 됩니다. 음스와티 2세의 권력이 절정에 이르렀을 무렵 새로운 위협이 발생하는데 이는 트란스발 보어 공화국의 확장과 영국의 존재였습니다. 특히 남아프리카에서 1867년에 다이아몬드, 1871년에는 금이 발견되면서 외부 세력의 위협은 더욱 증가하였습니다.

1875년, 왕권이 음반제니Mbandzeni[31]로 넘어간 이후 위에 언급

---

30) 현지어 발음을 한글로 가장 비슷하게 적어본다면 '쟈미니'이다.
31) 들라미니 4세(Dlamini IV), 재위 기간은 1875년~1889년이다. 음스와티 2세의 아들이다.

한 외세의 힘이 더욱 거세지면서 에스와티니는 1890년까지 토지 및 광물권 등의 권리를 박탈당하게 됩니다. 1890년에 영국 정부와 남아프리카공화국 간 협약에 따라 이 둘의 대표자와 스와지 국민대표로 구성된 임시 정부가 수립되었습니다. 처음에 영국은 에스와티니의 독립을 보장했지만, 보어인이 개입하자 태도를 바꾸어 영국-보어-스와지인의 삼자 통치 구조로 전환했습니다. 이후 1903년 보어전쟁에서 승리한 영국은 에스와티니를 보호령으로 삼았고, 1906년에는 에스와티니를 남아프리카 트랜스발 식민지Transvaal colony 관할로 삼았습니다. 이후 1940년대 후반까지도 남아공과 동일한 식민지 시대의 행정이 이루어졌습니다. 1963년에 제한된 자체 정부를 인정하는 헌법이 공포되었고 1967년, 스와지 국가는 왕권이 회복된 보호 국가가 되었습니다. 이후 1968년 9월 6일, 완전한 독립이 이루어졌습니다.

지금까지 19세기 이후 에스와티니의 역사를 간략히 알아보았습니다. 명색이 왕국인 만큼 왕을 중심으로 주요 내용을 설명하겠습니다.

소부자 2세Sobhuza Ⅱ는 1899년에 태어난 뒤 5개월도 채 지나지 않아 왕위에 올랐습니다. 상식적으로 갓난아기가 나라를 다스릴 수 없으니 할머니 음들루니가 섭정을 하였지요. 이후 스물두 살이 된 1921년부터 본격적인 정치를 시작했습니다. 소부자

2세는 세계에서 가장 오랜 기간인 83년을 통치했는데 에스와티니가 독립할 수 있었던 데는 이 왕의 역할이 정말로 지대했습니다. 그 내용을 살펴보면, 영국은 에스와티니를 독립시키면서 다른 식민지와 마찬가지로 입헌군주제를 추진했습니다. 그러나 소부자 2세는 1964년에 이미 임보코드보 민족운동Imbokodvo National Movement이라는 정당을 만들어 독립에 대비한 상태였습니다. 1967년 총선에서 결국 이 정당이 승리하였고 1968년 독립이 이루어졌습니다. 소부자 2세는 독립 후 5년이 지난 1973년, 영국의 의도대로 제정된 헌법을 폐지하고 의회를 해산하여 본래의 전제군주제로 돌아갔습니다. 그리고 1978년에는 40개 '부족'에게 통치권을 허용하는 새로운 헌법을 공포했습니다. 틴쿤들라Tinkhundla, 즉, 지역별로 두어 명의 대표로 구성된 지방 의회를 활용하여 새로운 선거 제도를 제정했는데 각 지역(틴쿤다Tinkhunda)에서 두 명의 대표가 선거인단으로 참석하여 국왕이 제공한 명단에서 55명의 국회의원을 선출하는 것이 그 골자입니다.

여기서 잠시 '틴쿤들라[32]'를 설명하겠습니다. 에스와티니는 지도와 같이 총 네 개 지역으로 나뉘어 있습니다. 1번은 호호 지역

---

32) 에스와티니에서의 정치체계와 관련된 독특한 명칭입니다. 다만, 그 의미가 경제적 의미와 정치적 의미 모두를 겸하고 있어서, 이해를 돕기 위해 에스와티니의 행정구역을 예를 들어 보겠습니다.

Hhohho Region, 2번은 루봄보 지역Lubombo Region, 3번은 만지니 지역Manzini Region, 4번은 시셀웨니 지역Shiselweni Region입니다. 지역별로 각각 14, 11, 16, 14개의 틴쿤들라가 있으며, 총 55개의 틴쿤들라가 있습니다. 그리고 각 틴쿤들라 아래에는 수장제 Chiefdom[33)]로 번역되는 여러 소규모 지역 공동체가 있습니다. 에스와티니를 구성하는 틴쿤들라는 우리나라의 행정구역인 군이나 광역시와 비슷하고, 선거로는 국회의원 선출 지역이라 할 수 있습니다. 즉, 틴쿤들라는 행정구역으로는 중간에 위치하고, 선거구역으로는 상위에 속합니다. 이것을 과감하게 한마디로 정의하자면, 정치적 운명을 공유하는 대규모 지역 공동체라고 할 수 있을 것 같습니다.

그림 1. 에스와티니 왕국 행정구역

---

33) '수장제(首長制)' 또는 '수장국(首長國)'으로 번역한다. 사회 속에서 어떤 특정의 사람이 뛰어난 정치적 권위를 가지고 있는 경우 그 사람을 수장이라고 하고, 그 권위가 미치는 범위 및 그 정치 형태를 치프덤이라고 한다. 수장이 빅맨과 다른 것은 그의 선출이 자진 출마 기타로 한정된 후보자 중에서 미리 정해진 방법으로(연령, 종교적 소명 등) 선출되는 것에 의한다. 한편, 수장이 왕과 다른 것은 집권화의 정도가 낮다는 것, 하나의 사회 속에 복수의 수장이 존재한다는 것, 정치조직과 친족조직이 미분화되어 있다는 것 등의 특징에 의한다. 일반적으로 치프덤은 정치조직의 발전의 한 단계로서 이해되고 있으며 평등 주의적인 성격을 갖는 사회와 단일의 왕과 정치 조직을 갖춘 초기국가간의 중간적 단계로서 위치되어 있다.

[네이버 지식백과] 치프덤 [chiefdom, Chefferie] (21세기 정치학대사전, 정치학대사전편찬위원회)

다시 왕의 이야기를 해볼까요? 소부자 2세가 1982년에 사망하고 4년 뒤인 1986년, 아들 음스와티 3세Mswati Ⅲ가 왕위를 물려받았습니다. 왕위를 잇기 전 4년 동안은 어머니가 섭정 통치를 했는데, 이는 에스와티니에 국왕과 국왕의 어머니가 권력을 나눠 가지는 예전의 체계가 헌법에 규정되어 있기 때문입니다. 즉위 후 음스와티 3세는 의회를 복구시켰으나 왕이 상하원 의원 중 일부를 지명하게 되어있고, 국무총리와 장관도 국왕이 지명하는데 주로 왕족인 들라미니 일가 사람들만 지명됩니다. 음스와티 3세는 현재도 정당의 모든 활동을 금지하는 제도를 고수하고 있습니다.

에스와티니의 현재

그러면 에스와티니에는 선거 제도가 있을까요? 전제군주제니까 선거 제도가 없을 것 같다고요? 아니요, 선거 제도가 있습니다. 앞서도 잠시 언급했지만, 의회는 입헌군주제를 골자로 한 최초 헌법에서부터 존재하였습니다. 헌법에 따르면 공식적인 정치 체제는 참여 민주주의입니다. 5년마다 선거가 열리고, 2005년에 새 헌법이 채택된 이후로 선거는 비밀투표로 진행되고 있습니다. 에스와티니의 선거 제도는 독특한데요, 선거는 예비 선거와 2차 선거, 두 단계로 나뉩니다. 예비 선거에서 선출된 자 중 2차 선거에서

가장 많은 표를 얻은 59명이
국민 선출에 의한 의원이 되고,
그 외에 최대 10명은 왕이 임
명합니다. 현재 의회는 헌법이
정한 여성 할당량을 충족하기
위해 4개 지역에서 추가로 4명
의 여성을 선출했습니다.

그림 2. 음스와티 3세

가장 최근의 선거는 2018
년 9월에 열렸습니다. 예비 선
거에서 유권자 544,310명 중 156,973명이 투표를 해서 투표율은
28.8%였습니다. 왕은 2018년 10월, 암브로즈 들라미니Ambrose
Dlamini[34]를 총리로 임명하였습니다.

사실, 에스와티니의 정치와 정부는 왕의 손에 있는 권력의 중앙 집중
화와 그를 둘러싼 관료주의 확대를 지향하고 있습니다. 이러한 경향이
에스와티니 국민의 정치적 권력을 감소시켰고, 이는 틴쿤들라 선거에
서 낮은 투표율로 이어졌습니다. NDI (National Democratic Institute
for International Affairs)는 1997년 만지니 선거를 시작으로 지방 선

---

34) 2020년 12월, 코로나19 감염으로 사망.

거를 지원했습니다. 이로써 더 많은 국민이 지방 선거에 등록하고 투표했지만, 이때에도 투표율은 35%에 불과했습니다.[35]

위의 글은 에스와티니의 정치 상황에 대한 견해 일부를 발췌한 것입니다. 2018년 선거는 예전보다 오히려 투표율이 더 떨어졌습니다. 국왕이 내각, 총리, 국회 일부를 임명하는 사실을 통해 국민의 의지가 별로 반영되지 않는다는 것을 알 수 있습니다. 선출된 개인의 정치적 영향력이 감소되고 있는 사실 또한 투표율 감소의 원인으로 볼 수 있지요. 국경 없는 기자들Reporters Without Borders에 따르면 에스와티니에는 언론의 자유가 없다고 합니다. 2017년 세계언론자유지수World Press Freedom Index에서 에스와티니는 180개국 중 152위를 기록했습니다. 아프리카 미디어 바로미터 African Media Barometer의 2014년 보고서에 따르면 에스와티니의 언론인들은 정부로부터 일상적인 위협을 받고 있고, 국가가 언론을 자주 통제한다는 사실 때문에 언론인 스스로 자기 검열을 하게 된다고 합니다. 야당은 커녕 정당 활동이 원천 금지되어 있고, 언론의 장 역시 완전히 봉쇄된 에스와티니에서 국민이 정치적 요구를 밝히고 그것을 실제 반영하는 일을 기대하기란 거의 불가능합니다.

---

35) Swaziland - Political background에서 발췌. https://www.nationsencyclopedia.com/World-Leaders-2003/Swaziland-POLITICAL-BACKGROUND.html#ixzz6lNM5mfjl

하지만 급변하는 21세기에 에스와티니 국민이 오늘날의 정치 체제를 인정하고 수용할까요?

이를 알아보기 위해 관련 내용을 찾아보았습니다. 언론 통제가 심한 탓에 기사를 찾기 힘든 와중에 겨우 찾아낸 2019년도 하반기의 기사 내용을 공유하겠습니다. 첫 번째 내용은 2019년 9월 기사로 공무원이 급여 인상을 위해 시위를 벌이다가 경찰과 충돌했다는 내용입니다. 참고로, 당시는 가뭄 등으로 최근 몇 년 동안 국가의 경제 사정이 악화되던 상황이었습니다. 기사는 경찰이 저임금과 생활비 상승에 항의하는 수천 명의 공무원을 대상으로 최루탄과 물대포를 발사했고, 그 1주 전에는 교사와 노동자들이 4개 주요 도시에서 파업 후 수도 음바바네로 모여 야당의 민주화 단체와 조치를 논의했다는 내용을 전하고 있었습니다. 최소 3,500명 이상의 사람들이 도시에서 행진했는데, 요구 조건은 7.8%의 급여 인상이었습니다. 특히나 왕의 호화로운 생활 방식과 비교가 되어 민중의 분노가 더욱 높아진 상황이었는데, 정부는 어려운 재정 상황으로 인해 공무원들에게 2년 동안 생활비 조정을 할 수 없다는 성명을 발표했습니다. 게다가 왕의 장녀인 시카니소 공주Princess Sikhanyiso가 그 전해에 내각의 일원으로 임명되어서 민주주의 단체들 사이에서 분노를 일으킨 사건까지 있었습니다. '공주가 수표를 받으러 갈 때만 의회에 간다. She only goes to parliament when she has to collect her fat cheque,'는 기사 한 줄로 그 이유를 충분히 이해할 수 있을 것입니다.

다음으로 2019년 12월 로이터 기사를 보겠습니다. 에스와티니 경찰이 야당의 수장과 정치인, 활동가들을 급습해서 체포했다는 내용입니다. 2019년 내내 에스와티니 전역에서 반군주제 시위가 벌어졌는데, 경찰이 최루탄, 물대포 등을 사용하여 돌을 던지는 시위대를 해산하는데 폭력을 행사했다는 내용입니다. 시위자들은 왕이 공공 자금으로 호화로운 생활을 하는 동안 국민 대다수는 옥수수 또는 사탕수수밭에서 생계를 꾸리고 있다고 말합니다.

기사를 읽고 여러분은 어떤 생각이 드시나요? 위의 기사들을 통해, 공무원들이 임금 인상을 위해 파업을 요청할 정도로 개개인의 경제 사정이 매우 좋지 않다는 점, 이에 대해 정부 역시도 급여 인상을 할 수 없을 만큼 경제 상황이 좋지 않다는 점, 그리고 인구 총 110여만 중에 3천 명 이상이 시위에 참여했다는 점, 침묵하는 다수를 고려할 때 이는 꽤 대대적인 항의였다는 점을 알 수 있습니다. 이렇듯 국민 대다수가 경제적으로 고통받고 신음할 때 정부가 대책을 마련하기는커녕 왕실의 호화로운 생활을 방관하는 현실이 에스와티니 국민을 분노케 하고 있습니다. 경제적 어려움에서 비롯된 분노는 언젠가 왕실을 비롯한 정치 체제 전반에 대한 분노로 이어질 수 있을 것입니다.

글을 마무리하고 책 발간을 준비하고 있던 2021년 6월 말, 에스와티니에서는 한 국립대생이 들판에서 의문의 시체로 발견되는 사건을 계기로 대학생들의 시위가 불길처럼 일어났습니다. 시위대는 다당제 민주주의 도입과 왕에 의해 임명되는 총리를 민주적으로 뽑을 권리를 요구하며 시위에 나섰습니다. 그러나 정부가 집회금지령 및 최근에는 계엄령까지 선포하면서 시위는 격화되었으며 최근 시위 과정에서 최소 21명이 살해되었고 왕은 국외로 도피했다는 루머까지 퍼지고 있습니다.

국민들의 분노와 시위의 결과가 어떤 방향으로 흘러갈지 아직 알 수 없는 상황입니다.

전제군주제는 21세기와 어울리지 않을까요?

전제군주제의 장점으로는 신속한 의사결정이 가능하여 현명한 왕이 집권하면 나라가 효율적으로 운영되고 발전될 수 있다는 점을 들 수 있습니다. 그러나 반대의 경우, 왕의 독단과 실정을 저지할 수단이 없어 역사 속에서 봤던 부정부패와 비효율적인 국가 운영, 그리고 이에 따른 국민의 고통이 일어날 것을 예상할 수 있습니다. 에스와티니의 경우 국왕은 전제군주로서 강력한 거부권을 가지고 있습니다. 법 제정 거부권 행사는 왕이 실질적으로 헌법

위에 존재한다는 사실을 반영합니다. 민주주의 체제에서 사는 우리 눈에는 이러한 전제군주제가 과거의 유산이거나 시대에 뒤떨어진 체제로 보일 수밖에 없습니다. 구조적으로 개인의 정치 참여와 선출된 자가 참여하는 통치가 어렵다는 점에서 특히 더 그렇습니다.

21세기의 전제군주, 어떻게 생각하시나요? 저는 에스와티니에 전제군주제가 존재하는 이유는 다음과 같다고 생각합니다. 무엇보다도 저는 독립 상황에 맞게 정치 체제를 정비하고 에스와티니의 발전을 이룩한 현 국왕의 아버지인 소부자 2세의 유산이 오늘날에도 에스와티니에서 전제군주제가 유지될 수 있는 가장 큰 이유라고 생각합니다. 실제로 현재 국왕보다 그의 아버지인 소부자 2세가 훨씬 흥미로운 인물인데요, 독립이라는 큰 가치를 위해 영국에 허리를 굽히는 일을 마다하지 않고 독립을 쟁취한 뒤 전통문화와 가치를 지키면서 에스와티니에 맞는 정치 체제를 구축했다는 점에서 그렇습니다. 두 번째로 전제군주제가 유지되고 있는 것은 단지 왕의 능력이 뛰어나서가 아니라 에스와티니가 다른 아프리카 국가들과 달리 단일언어를 사용하는 단일 민족 국가이기 때문이라고 생각합니다. 대다수의 아프리카 국가의 국경선은 실제로 그곳에 사는 사람들이 원하는 대로 정해진 것이 아닙니다. 그것은 식민지 시대부터 세계열강의 필요에 맞게 결정된 것이고, 이는 집단과 종교, 언어 갈등으로 이어졌습니다. 그리고 그 갈등은 국가별 상황에 따라 내란 또는 전쟁으로 표출되기도 했습니다. 이런 점에서 동일 언어를 쓰는 단일 민족으로 이루어진 에스와티니 왕국이 안정된 정체성과 일체감을 형성하는 것은 상당히 수월했습니다. 아담한 면적과 1백만에 불과한 인구 역시 전제군주제를 유지하는데 이롭게 작용했을 것입니다. 마지막으로, 전제군주제가 이 나라에 아직 유효하니까 유지되고 있는 것은 아닐까 하는 생각도 개인적으로 갖고 있습니다.

지금까지 대한민국에서 멀리 떨어진 아프리카 에스와티니의 역사와 정치 체제에 대해서 살펴보았습니다. 왕국이라 꽤 생소했는데 저는 이 글을 쓰면서 조금은 이 나라에 대해 알 수 있게 된 것 같기도 하고 또 아닌 것 같기도 합니다. 어떤 정치 체제가 옳은지는 잘 모르겠습니다. 저는 학문적으로도, 그리고 실제 현실에서도 정치에 큰 관심이 없는 사람입니다. 어쩌면 민주화가 진전된 대한민국에서 투표권을 행사하며 민주주의를 누리며 살아왔기 때문에 공화제도로서의 민주주의가 얼마나 좋고 소중한지를 미처 깨닫지 못했던 것일 수도 있습니다. 그러나 우리와 다른 제도라고 해서 무조건 무시하거나 배척하지는 않습니다. 이는 논쟁을 회피하기 위해서가 아니라 아직 깊지 않은 공부이지만 제가 대학원에서 아프리카 지역을 공부하면서 느낀 점 때문입니다. 하나의 시각으로만 현상을 바라보지 않고 정치, 경제, 역사, 문화, 외세의 영향 등 복합적인 배경을 살펴보아야 그나마 진실에 가깝게 상황을 파악하고 이해할 수 있다는 것을 배웠기 때문입니다. 우리는 아프리카 각국에서 종종 발생하는 지역 및 종교 갈등, 자원 개발과 환경 문제, 빈부 격차, 질병 등과 관련된 뉴스를 접합니다. 이번 기회에 독자 여러분에게 살짝 부탁드립니다. 뉴스에서 아프리카와 관련된 부정적인 기사를 접하시면, '아, '아프리카마치'가 쓴 책에서 이런 기사를 접하면 이면을 생각해 달라고 했었지!'라고 기억해 달라고요.

다시금, 에스와티니에 현존하는 전제군주제에 대한 여러분의 생각을 물으며 이 글을 마칩니다.

에스와티니 왕실 사람들과
그들을 엿보는 우리에 관하여

"

나 자신을 이해시키기 위해 그 누구에게도 설명을 해줄 필요를 느끼지 않는다.

그 누구를 겨냥하는 행동도 아니기에 더욱 자랑스럽다.

지금 이 순간, 나는 절정의 행복감을 느낀다.

"

마치
번역가로 활동하던 중 예상치 못한 인연처럼 '아프리카'를 만났다. 아프리카의 종교와 음악을
비롯한 문화 현상을 연구하고 있다.

I. 에스와티니 왕실 사람들

1. 새로운 왕의 시대가 열리다

#1. 1982년 은트폼비 트프왈라Ntfombi Tfwala 왕비의 일기

특별전통위원회 리코코Liqoqo가 나를 위대한 아내 '인들로부
카지Indlovukazi'로 선택했다. 이제 나는 스와질랜드[36]의 국모가
된다. 소부자 2세Sobhuza II를 잇는 왕의 어머니가 되는 것이다.
나의 아들, 지금 영국에서 열심히 공부하고 있을 어린 내 아들
이 이 나라를 이끌 왕이 된다는 것은, 남몰래 바라기는 했지만
실제로 일어날 수 있을 거라 생각하지 못했다. 아니, 그전에 내
가 '위대한 아내'가 된다는 것을 감히 기대하지 못했다. 그 누가
70명(또는 125명)의 아내들 중에 자신이 위대한 아내로 뽑힌다
고 장담할 수 있겠는가. 그런데 이 기쁘고 놀랍고 가슴 벅찬 소
식을 앞에 두고 나는 왕과의 결혼으로 나와 헤어져야만 했던 그
사람을 떠올리지 않을 수가 없다. 벌써 15년이 지난 일이건만
나는 그를 잊을 수가 없다. 아니, 중요한 순간순간 그는 늘 나와
함께 했다. 왕에게 간택되었을 때, 왕과의 첫날 밤, 왕의 아기를

---

36) 현재 국명은 에스와티니이지만 변경 전의 일을 언급할 때는 당시 국명인 스와질랜드로 표기
한다.

갖고 비로소 왕비가 되었을 때, 나의 소중한 아들이 이 세상에 나왔을 때, 그때마다 나는 내 옆에 노쇠한 왕 대신 그가 있는 것을 상상했다. 그러나 오늘을 기점으로, 나는 더이상 그를 떠올리지 않기로 결심한다. 철없던 시절의 사랑을 그리워하는 것은 내가 부여받은 '위대한 아내', '왕의 어머니'라는 명칭과 어울리지 않는 어리석은 행위이다. 이제 나는 스와질랜드의 황후 폐하로서 왕실과 조국의 기강과 규율을 다잡는 일에 평생을 바칠 것이다.

#2. 1982년 마코세티브 들라미니Makhosetive Dlamini왕자의 일기

어머니가 '위대한 아내'가 되셨다는 소식을 들었다. 전령은 마치 대단히 기쁘고 영광스러운 듯 소식을 전했지만, 언제나 지혜롭고 우아한 어머니를 떠올릴 때 이 소식은 내게 전혀 놀랍지 않았다. 나는 이날이 오리라는 걸 항상 예감하고 있었고 그 날이 단지 오늘에 불과할 뿐이다. 안타깝게도 지금 나는 14살이므로 당장 스와질랜드를 통치할 수 없다. 지혜로운 나의 어머니가 내가 18살이 될 때까지 이 나라를 통치할 것이다. 세계 최강국, 해가 지지 않는 나라 영국에서 공부를 했던 것은 내가 세계정세에 뒤처지지 않기 위해서였다. 나는 그런 조국의 의지를 늘 염두에 두고 있었고, 스와질랜드를 통치하기에 부족함이 없도록 자신을 단련해 왔다. 지금 당장이라도 나는 나의 조국과 사랑하는 국민을 위해 통치할 만반의 준비가 되어있지만, 법이 명시한 대로 나는 이곳 영국에 남아 더 많은 지식으로 자신을 채우고 더 큰 사람이 되어 고국으로 돌아갈 것이다. 위대한 선친 소부자의 용맹함과 자애로운 어머니의 사랑을 온 몸과 마음으로 체화한 나, 마코세티브는 이 모든 강점을 조국 스와질랜드와 스와질랜드 국민의 번영을 위해 사용할 것이다.

1982년 8월 21일 스와질랜드의 왕 소부자 2세가 타계하자 긴급 소집된 국가 대위원회 리코코는 이제 겨우 14살의 마코세티브 왕자를 새로운 왕으로 정했습니다. 장자 상속에 익숙한 우리로선 당연히 그가 소부자 왕의 첫째 아들일 거라고 생각하겠지요. 그러나 그는 장자도 아니고 소부자 왕의 가장 어린 아내 중 한 명의 아들에 불과했습니다.

여기서 에스와티니의 독특한 왕위 계승 제도를 살펴보지 않을 수가 없겠지요? 스와질랜드에서는 왕의 수 많은 부인들 가운데 가장 훌륭하다고 여겨지는 여성을 '위대한 아내'라는 이름으로 선택하여 그녀의 아들에게 왕위를 계승합니다. 따라서 마코세티브 왕자가 선왕 소부자 2세의 뒤를 이을 수 있었던 것은 이른바 훌륭한 어머니를 두었기 때문이라고 해도 과언이 아닙니다. 이런 독특한 왕위 상속의 배경에는 왕과 왕의 어머니가 각각 황제 폐하와 황후 폐하로서 에스와티니를 통치하는 이두정치의 전통이 존재합니다. 에스와티니에서는 왕을 사자, 왕의 어머니를 암코끼리라고 부른다고 하네요.

마코세티브 왕자가 왕이 될 수 있는 18세가 되기 전까지 4년 동안 드젤리웨 숑그웨Dzeliwe Shongwe 왕비(1982-1983)와 어머니 은트폼비 트프왈라(1983-1986)가 스와질랜드를 섭정했습니다. 비로소 1986년 4월 25일, 18세가 되고 엿새가 된 마코세티브 왕자가 스와질랜드의 왕, 당시 기준으로 세계 최연소 왕이 되었습니다. 음스와티 3세가 된 마코세티브 왕자는 자신이 후대 왕으로 결정되었던 날에 세웠던 결심을 실천에 옮겼을까요? 과거로 향했던 타임머신을 현재로 돌려봅시다!

영상자료 1

스와질랜드 왕 없이 Without The King Swaziland

2. 권력의 단맛에 빠지다

영상자료 2

에스와티니 토지의 약 60퍼센트를 소유한 아프리카 최대 토지 소유자 음스와티 3세 알아보기 Discover Africa's Largest Land Owner, King Mswati III - Owns About 60% of eSwatini's Land

#3. 202X년 음스와티 3세(Mswati III)의 일기

한국에서 왔다는 기자가 내게 당돌한 질문을 했다. "지금 당신은 행복합니까?" "다음 생에도 에스와티니에서 왕으로 태어나 일부다처제를 몸소 실천할 것입니까?" "국민 대다수가 빈곤으로 허덕이고 있는 이 상황에서 그 많은 돈을 오로지 당신과 수많은 부인, 그리고 나머지 가족들을 위해서만 쓸 것입니까?" 대신은 이런 기자를 걸러내지 않고 무엇을 했단 말인가. 하지만 나, 자랑스러운 에스와티니의 국왕 음스와티 3세는 예기치 못한 무례한 질문에도 미소를 잃지 않는 평정심을 발휘했다. "지금 나는 더할 나위 없이 행복합니다." "당연히 나는 다음 생에도 에스와티니의 왕으로 태어나기를 기원합니다. 일부다처제에 대해 말하자면, 세상 사람들은 이것에 대해 오해를 하고 있습니다. 그것은 인류애를 실천하기에 가장 적합한 제도입니다. 단 한 사람만을 사랑하라는 일부일처제의 주장은 그 자체로 인류에 대한 폭력입니다. 세상에는 사랑받을 자격이 있는 사람들로 넘쳐납니다. 나는 그 모두를 사랑하지 못하는 것이 오히려 아쉬울 따름입니다." "우리 에스와티니의 국민 대다수가 빈곤으로 허덕이고 있다고 단정 지어 말하는 것 또한 매우 유감스럽습니다. 소위 발전했다는 나라의 사람들에게는 돈이 전부일 것입니다. 우리는 경제적으로 발전하지 못했을지 몰라도 당신들이 개발 과정을 통해 놓쳐버린 전통을 지키며 여전히 조상과 연결하며 살아가고 있습니다. 우리는 당신들과 달리 정신적으로 풍요롭습니다. 마지막으로, 내가 돈을 우리 가족을 위해 돈을 쓰는 것은 지극히 개인적이고 당연한 일입니다. 그것에 대해서는 어느 누구도 왈가왈부할 수 없습니다." 한국에서 왔다는 기자는 고통으로 신음하는 국민을 걱정해본 적이 있느냐고 되물었지만, 이번에는 대신이 알아서 그의 입을 틀어막았다. 어디서 감히 나를 비판하려 드는가.

자, 이쯤에서 여기 등장하는 일기의 진짜 작성자가 누구인지 밝혀야 할 것 같네요. 네, 맞습니다. 앞선 일기들은 지금 여러분에게 말하고 있는 '제가' 쓴 것이고, 앞으로 등장할 일기들 역시 마찬가지입니다. 그러므로 여러분은 이 모든 것을 온전한 사실로 오해하시면 안 됩니다. 물론 이 이야기들이 완전히 허무맹랑한 것은 아닙니다. 사실에 근거하되 우리가 알 수 없는 등장인물의 내면에 존재하는 생각과 느낌은 상상력을 발휘해서 묘사한 것이지요. 그러므로 이 안에 저의 편견이 들어가게 되는 것은 어쩔 수 없으며, 그로 인해 사실과 다르게 왜곡되는 부분이 있을 수 있다는 것을 미리 알려드리고 양해의 말씀을 구합니다. 그러나 그 사실 자체를 갖고서도 우리는 뭔가를 배울 수 있을 것입니다. 이 글을 마무리하면서 그것에 대해 제 생각을 진솔하게 적어보겠습니다.

그럼 다시 이야기로 돌아와 볼까요? 지금 우리는 1982년에서 202X년으로 무려 수십 년의 시간을 훌쩍 넘어왔습니다. 앞서 이야기했듯이, 1982년 열네 살에 왕으로 지명되었던 마코세티브 왕자는 4년의 섭정기를 거쳐 1986년 열여덟 살에 비로소 스와질랜드 국왕 음스와티 3세가 되었습니다. 우리는 지금 그가 부모로부터 물려받은 용맹함과 사랑을 스와질랜드와 스와질랜드 국민의 번영을 위해 사용했는가를 궁금해하고 있습니다. 그가 우리의 기대를 저버리지 않았기를 바랍니다만, 많은 기록과 자료들은 우리에게 그것이 헛된 기대라고 말하고 있네요.

18세의 젊은 왕은 집권하자마자 독재자로서의 면모를 드러냈고 민주화와 경제적 여유를 갈망하는 국민의 요구를 묵살했습니다. 보통 젊은이가 가질 법한 자유와 평등, 민주주의와 같은 진보를 향한 이상은 그에게 존재하지 않았습니다. 그가 영국에서 배운 것은 대체 어디로 사라진 것일까요? 그래서 저 자신이 기자가 되어 그에게 물었던 것입니다. 다음 생에도 에스와티니에서 태어나 왕으로 살고 싶으냐고 말이죠. 나라의 우위를 따지는 것은 옳지 못하지만, 아무리 왕자라 해도 작고 가난한 나라 스와질랜드에서 살다가 세계를 호령했던 강대국 영국에서 공부를 하게 되면 선진 문화에 압도되고 그것을 모방하고 싶은 마음이 들지 않을까, 혹은 그런 나라에서 태어나고 싶다는 바람이 생기지는 않을까라는 생각이 들었던 것이죠.

그에 대한 왕의 대답을 가늠하기 위해 저는 주위의 남성 지인들에게 왕의 입장에서 대답해줄 것을 요청했습니다. 반응은 예상 밖이었습니다. 대다수 남성이 자신이 에스와티니 왕이라면 다시 그렇게 태어나 일부다처제로 살기를 희망할 것이라고 대답한 것입니다. 그런데 그 대답의 중심에는 바로 '권력', 더 정확하게 말하자면 '권력의 단맛'이 있었습니다. 이른바 잘 사는 나라에서 앞선 가치를 접했다 하더라도 조국으로 돌아와 권력의 단맛을 보게 되면 권력을 놓치지 않기 위해 보수화되고 결국에는 기득권이 된다는 것입니다. 권력이 가치의 중심에 놓이게 되면 조국의 번영보다 자신의 안위가 더 중요하게 된다고요. 저의 지도교수님은 그런 현상을 멋들어지게 표현하는 말이라며 다음 구절을 소개해 주셨습니다. "권력은 꿀단지고, 우리는 파리다. 권력의 꿀단지에 빠지면 나오질 못한다." 흠, 음스와티 3세는 지금과 다른 삶을 결코 살 수 없을 거 같네요.

그가 자신의 권력 유지만큼 공을 기울인 것은 에스와티니의 전통을 강조하는 것이었습니다. 선왕 소부자 2세는 서구 매체와의 인터뷰에서 당시 벌어지는 아프리카의 혼란 상태에 대해 이렇게 말한 바 있습니다. "아프리카의 혼란은 서구 때문이다. 서구가 우리에게 자신의 것들을 강요하면서 우리는 우리 것을 잃기 시작했다. 우리는 아프리카에 좋은 것은 지키고, 나쁜 것은 폐기할 것이다." 소부자 2세는 음스와티 3세와 달리 진보적이고 국민의 사랑을 받는 왕이었다는 평가를 받고 있습니다. 인터뷰 장면만 보더라도 당시 식민지에서 독립을 이끈 왕답게 서구사회를 당당히 비판하며 자신의 정체성을 지키고자 하는 기개를 엿볼 수 있지요. 음스와티 3세는 선왕의 발언에서 자신의 통치철학의 힌트를 구한 것 같습니다. 이미 알고 계시겠지만, 그가 에스와티니로 국명을 변경한 것도 서구가 지은 스와질랜드라는 이름을 폐기함으로써 서구의 잔재를 털어내고 스와지인의 주체성을 되살리기 위한 시도였지요. 음스와티 3세는 전통을 지키는 과정에서 정체성을 확인하고 평화와 안정을 유지하는 것을 에스와티니의 이상향으로 여기고 있습니다.

영상자료 3

음스와티 3세 폐하와의 대화 Dialogue with His Majesty King Mswati III

3. 전통과 정체성의 한가운데에서

영상자료 4

스와질랜드의 일부다처제 전통 Swaziland's tradition of polygamy

#4. 2018년 일곱 번째 왕비 라마상고Inkhosikati LaMasango의 일기

길지 않은 생이었지만 나의 삶에는 세 번의 큰 사건이 있었다. 하나는 18살이 된 스와질랜드 여자 아이들 모두가 참여하는 갈 대축제, 음흘랑가Umhlanga에서 영광스럽게도 왕의 간택을 받게 된 것이었다. 과거와 다른 자유롭지 못한 삶이 기다린다는 것을 잘 알고 있었고, 그 선택을 두려워하는 아이들도 많지만 나는 수많은 여자 아이들 중에서 내가 특별하게 선택된 것이 싫지 않았다. 아니, 너무나 별 볼 일 없었던 지금까지의 삶을 보상받는 느낌이라서 많이 우쭐했었다. 인생에 그런 달콤 쌉쌀한 경험을 할 수 있는 사람이 세상에 몇이나 될까. 그 경험이 훗날 날카로운 고통으로 변할지라도 한번쯤은 맛봐도 좋은 짜릿한 쾌감이었다. 나는 그걸 확실하게 즐겼고, 그만큼 그 행복은 순식간에 변질되었다. 행복감의 완벽한 상실은 두 번째 사건과 함께 일어났다. 내가 고등학교를 중퇴한 것이 만천하에 드러났고, 그것이 나라는 사람의 자질 부족을 증명하는 것으로 이어져 온갖 조롱과 무시를 당하게 된 것이었다. 유일하게 국가 소유가 아닌 〈타임스 오브 스와질랜드The Times of Swaziland〉 신문은 나의 퇴학 사실을 보도하며 내가 결석을 일삼는 구제불능 문제아였다고 했다. 틀린 말은 아니었기 때문에 반박할 수도 없었다. 특히 이 자리에 있게 된 순간부터 내가 누릴 수 있는 물질적 풍요의 증가와 반비례하여 나를 표현할 수 있는 자유는 급감되었기 때문에 나는 자신을 적극적으로 변호할 수 없었다. 대신 왕이 낙심한 나를 위로하며 곧장 신문 편집자 브헤키 마쿠부Bheki Makhubu를 명예훼손 혐의로 체포했지만, 왕실 사람들이 나를 바라보는 시선은 이미 차갑게 식어버렸다. 겉으로는 아닌 척해도 그들은 나를 경계했다. 나를 선택하고 유일하게 나를 사랑하는 왕 역시 주위의 시선을 의식하지 않을 수 없기에 나를 찾는 횟수가 현저하게 줄었다. 사람들은 자기가 생각하고 싶은 대로 타인을 인식하고 판단한다. 그것을 비난할 수는 없다. 나 역시도 그러하기 때문이다…… 하지만 이런 입장에 처하고 보니 그것이 얼마나 큰 폭력인지를 뼈저리게 깨닫게 된다. 고등학교 중퇴자라는 불명예스러운 낙인은 불안했던 시기에 일어났던 내 행동의 결과로 받아들이더라도, 나라는 사람을 고등학교 중퇴자라는 낙인의 감옥에 평생토록 가두려는 행위는 받아들일 수 없었다. 그러나 나는 스스로 무너지고 있었다. 오히려 더 당당하고 멋진 모습을 만들겠다던 결심한 것은 옳았지만 방법을 잘

그림 1. 에스와티니 전통행사에 참석한 라마상고 왕비

그림 2. 수차례 성형수술을 한 이후의 라마상고 왕비

못 선택했다. 바보처럼 성형수술에 집착하게 된 것이다. 하지만 그때는 그 방법밖에 떠오르지 않았다. 외적인 변화만이 빠르게 진정한 나를 증명할 수 있는 유일한 방법이었다. 고등학교 중퇴자 라마상고에서 벗어나고 싶었고, 더 아름다워진 모습으로 왕의 관심을 다시 사로잡고 싶었다. 사실 왕실도 나를 위해 많은 고민을 하고 배려를 해주었다. 왕실 또한 나를 변화시키기 위해 노력했고, 결국엔 나를 화가로 만들어주었다. 그들은 내게 화구를 가져다주며 그림에 관심을 가질 수 있도록 독려했다. 그리고 나의 부족한 그림을 세상에 선보이며 자선기금 마련을 위한 작품 경매를 주선했다. 고등학교 중퇴자 출신 왕비에서 뜻깊은 일에 동참하는 화가로의 변신! 이렇게 다이내믹한 삶을 살 수 있는 것 또한 삶이 내게 준 선물이었을 것이다. 그러나 나의 내면은 그것을 그렇게 해석할 수 있을 만큼 단단하고 여유롭지 못했다. 나는 언제나 나를 둘러싼 현실을 비참하게 느꼈다. 그리고 일주일 전, 언니의 장례식에 참석하지 못하게 한 왕실의 결정은 나를 아무 것도 할 수 없는 처량한 사람이라는 것을 완벽하게 확인시켜주었다. 이것이 내 인생의 세 번째 사건이다. 그러나 이 모든 일련의 사건들은 내가 어떤 사람이고 무엇을 중요하게 여기는지를 확실하게 알게 해주었다. 그리고 지금, 나는 내 인생에서 가장 중요한 결정을 스스로 내린다. "이제 더 이상 살지 않겠다." 나는 이 단호한 결심이 무척이나 만족스럽다. 나 자신을 이해시키기 위해 그 누구에게도 설명을 해줄 필요를 느끼지 않는다. 그 누구를 겨냥하는 행동도 아니기에 더욱 자랑스럽다. 지금 이 순간, 나는 절정의 행복감을 느낀다. 안녕!

위의 일기는 에스와티니 왕실에서 일어났던 가장 비극적인 사건을 토대로 작성한 것입니다. 다시 말하지만, 이 일기를 왕비의 진짜 속마음이라고 생각하지는 마세요. 이건 완전히 저의 상상력에 기반을 둔 허구니까요. 그러나 일기와 같은 생각을 왕비가 하지 않았으리라고 장담할 수도 없지요. 사실 언니의 장례식에 참석하지 못하는 것이 무척이나 고통스러운 일일 거라는 것은 미루어 짐작할 수 있었지만, 자살까지 해야 할 정도였을까 라고 생각했어요. 하지만 최대한 저를 그녀라고 감정을 이입하면서 일기를 써보았지요. 어떤 방향을 상정하지 않고 의식이 흘러가는 대로 글을 쓰다 보니 그녀가 왜 자살을 선택했는지 이해할 수 있을 것 같았습니다. 언제나 자신을 우아하게 포장해서 타인들에게 존재 가치를 증명해야 하는 왕비의 삶. 꼭 왕비가 아니더라도 우리는 살면서 자신을 멋지게 보이고 싶은 욕구를 자주 느끼죠. 최고의 자리에 있었지만 누구보다 비참한 삶을 살았던 라마상고 왕비는 그것의 부질없음을 깨닫고 자신에게 남은 단 하나의 자율권을 자살이라는 형태로 행사한 것이었습니다. 이 일기가 그녀의 마음을 제대로 반영한 것이라면 말이죠.

그럼 여기서 라마상고 왕비가 속해있던 에스와티니의 일부다처제에 대해 이야기해볼까요.

한 남자는 한 여자와만 결혼해야 한다는 일부일처제를 상식으로 여기는 우리에게 일부다처제는 호기심을 갖고 바라볼 수밖에 없는 아프리카의 결혼 전통입니다. 에스와티니의 왕 음스와티 3세는 이미 열다섯 명의 아내를 갖고 있지만 여전히 젊기 때문에 더 많은 아내를 갖게 될 가능성을 배제할 수 없습니다. 선왕인 소부자 2세는 적게는 70명, 많게는 125명의 부인이 있었다고 하죠. 자료마다 숫자가 달라서 어떤 것이 확실한지 모르겠지만 둘 다 엄청난 숫자임에는 틀림없습니다. 우리의 상식을 훌쩍 벗어나기 때문에 우리는 이 사실을 매우 호기심 어린 시선으로, 때로는 선정적으로 다루게 되는 것 같습니다. 그것을 원초적 본능의 발현이라고 치부하며 우월감을 느끼는 거예요. 특히 남성들에게는 이면에 들키고 싶지 않은 부러움이 있을지라도 말이죠.

어쨌거나 에스와티니를 비롯한 몇몇 아프리카 국가들에 남아 있는 일부다처제의 결혼 전통은 우리가 아프리카를 매우 다르다고 느끼게 만드는 커다란 요소 중 하나입니다. 그러나 실제 에스와티니 사회에서 일부다처제는 실현되기 힘든 전통입니다. 아내를 맞이하기 위해 필요한 신부지참금을 감당할 수 있는 남자들이 에스와티니에 많지 않기 때문이지요. 살면서 한 번도 결혼을 하지 못하는 남자들도 부지기수고요. 사실상 일부다처제의 전통을 실천할 수 있는 사람은 왕을 비롯한 극 상류층에 한정될 것입니다. 앞서 말했듯이 현재 음스와티 3세는 15명의 왕비를 갖고 있고, 그들에게 엄청난 돈을 퍼붓는 것으로 비난을 받고 있습니다. 그러나 정작 본인은 그런 세간의 평판에 흔들리지 않는 것 같습니다. 여기에는 '옳든 그르든' 에스와티니의 전통에 대한 신념과 자신의 삶에 대해 타인이 왈가왈부할 수 없다는 확고한 인식이 깔려 있을 것이라고 생각합니다.

그렇다면 그의 부인들의 삶은 어떠할까요? 일단 그들이 왕비가 되는 과정을 살펴보겠습니다. 에스와티니에는 18세가 된 소녀가 모두 상의를 탈의하고 왕의 앞에서 갈대를 들고 춤을 추는 갈대 축제가 있습니다. 매우 놀랍고 신기한 축제지요? 제가 더 놀란 것은 이 축제가 소녀들의 처녀성을 지키기 위한 목적 또한 지니고 있다는 사실이었습니다. 여기에서 왕의 시선을 사로잡아 낙점을 받은 소녀는 왕비 후보자가 되고 임신을 하면 왕비의 지위를 인정받게 됩니다. 축제 이전에 이미 왕비 후보자가 결정되어 있다는 이야기도 있지만 왕의 동의가 없이 이뤄지지는 않겠지요. 많은 왕비를 들이는 것은 소위 '부족'들과의 친선을 통한 원활한 통치를 위한 불가피한 선택이기 때문에 첫 번째, 두 번째 부인까지는 주요 부족 출신의 여성을 선별하여 결혼합니다. 그러나 전반적으로 왕의 선택이 중요하며, 그렇게 해서 왕비가 된 열다섯 명의 여성 중 다섯 명이 왕을 떠났습니다. 3분의 1이나 되는 왕비가 어떤 형태로든 왕을 떠났다는 사실은 왕실의 삶이 결코 쉽지 않다는 것을 확인시켜주지만, 한편으로 그들이 왕을 떠날 수 있는 자유가 있다는 것을 반증하기도 합니다.

왕비들은 갈대축제에서 간택되었다는 사실로 인해 갑자기 신분 상승된 신데렐라처럼 인식되기 쉬운데요, 그들은 이미 신분이 높은 가문의 자제 출신으로 대학 수준의 교육을 받았고, 왕비가 된 이후에도 자선단체에서 활동하거나 화가나 가스펠 가수와 같은 예술가로 살아갑니다. 예컨대 대학에서 그래픽 디자인을 전공한 세 번째 왕비 라음비키자LaMbikiza는 음악 활동으로 수익금을 조성하여 에이즈로 고통받는 사람들을 돕는 프로그램을 진행하고 있고, 앞서 일기를 통해 소개된 일곱 번째 왕비 라마상고도 화가로 활동하며 수익금을 자선단체에 기부했습니다. 대학에서 인적자원 관리를 전공한 열한 번째 왕비 라은텐테사LaNtentesa는 재활센터와 장애센터를 후원하고 있습니다. 현재로서 마지막 왕비인 열다섯 번째 왕비 라마시와마LaMashwama는 미국 로체스터 대학교에서 유학하며 논문을 발표할 당시 가장 유창한 연사로 뽑힌 재원이었다고 하네요.

그러나 우리가 상상함직한 비극이 에스와티니 왕실에서 일어나지 않았던 것은 아닙니다. 앞서 일기를 통해 등장한 일곱 번째 왕비 라마상고의 자살은 절대 일어나서는 안 될 비극이었죠. 그 밖에도 왕과의 결혼 생활에 불만을 느껴 다른 남자와 불륜을 저지르고 외국으로 떠난 사례들이 있습니다. 다섯 번째 라흐왈라LaHwala는 여전히 왕과 결혼한 상태로 현재 남아프리카공화국에 피신해 있고, 여섯 번째 왕비 라마그와자LaMagwaza는 불륜 이후 현재 남아공 사업가와 결혼해서 잘 살고 있다고 합니다. 스와질랜드 미인대회 출신의 열두 번째 부인 라두베LaDube는 왕의 어릴 적 친구인 법무부장관 은두미소 맘바Ndumiso Mamba와 애정행각을 벌이다가 현장에서 발각되기도 했습니다. 그녀는 왕실 추방 명령을 받고 외부에서 살다가 피부암으로 사망했다고 합니다. 일단 결혼을 하면 돌이킬 수 없다는 왕의 공언을 토대로 왕비가 불륜을 저지르거나 왕으로부터 도망을 치면 당연히 중대한 처벌을 받을 거라 생각했는데, 원하는 대로 왕실을 나가게 하거나 그저 쫓아내는 것을 보며 솔직히 저는 에스와티니 왕과 왕실이 의외로 관대하다는 인상을 받았습니다. 하지만 왕이 결혼을 원하지 않는 어린 여성(열 번째 부인 라말랑구LaMahlangu, 결혼 전 이름인 제나 말랑구Zena Malangu로 더 알려짐)을 납치한다거나 법정 연령인 18세가 되지 않은 17세 여성과 결혼하기 위해 법을 어기는 행위(열세 번째 왕비 라은캄불레LaNkambule)는 꽤나 야만적이고 후진적인 행태라고 하지 않을 수 없겠죠.

또 하나, 왕비들의 삶과 관련해서 우리가 관심을 갖게 되는 것은 그들이 서로에게 어떤 감정을 갖고 있고 어떤 상호관계를 맺고 있는지에 관한 것일 겁니다. 우리는 왕실하면 왕위 계승을 둘러싸고 왕비와 후궁들이 암투를 벌이는 것을 TV 드라마나 영화를 통해 많이 접했기 때문에 당연히 그들도 서로에게 경쟁심과 악감정을 갖고 있을 거라 예단하기 쉽습니다. 그러나 왕위 계승은 장자를 낳는 것에 달려있지 않고 위대한 여왕이 되어야 가능한 것이기 때문에 자신의 아들이 왕이 되기를 원하는 왕비라면 다른 왕비들을 시기하거나 모함하기보다는 자신의 내적 완성도를 높이기 위해 자신을 단련하고 인간적으로 성숙해지는 것에 더 많은 노력을 쏟지 않을까요? 실상이 어떻든 왕비들이 함께 춤을 추며 축제를 즐기는 다음의 비디오를 보면 그들이 친한 친구 사이나 자매 같다는 인상을 받을 겁니다.

영상자료 5

잉코시카티 II 2020년 훌레인 왕실 부가누 의식
Inkhosikati II Hlane Royal Residence Buganu Ceremony 2020

4. 그러나, 새로운 왕은 오지 않는다

영상자료 6

시카니소 공주 전하 (내가 편집)
Her Royal Highness Princess Sikhanyiso (edited by myself)

#5. 202X년 시카니소 들라미니Sikhanyiso Dlamini 공주의 일기

올해도 예년과 다름없이 갈대축제에서 강연과 춤을 완수했다.
일곱 살 때 처녀대표 이잉구사나[37]로 뽑힌 이래 서른 살이 넘은
지금까지 무려 20년을 넘게 한 해도 빠짐없이 해왔던 일이기
에 기억의 힘을 빌리지 않고도 그 모든 것을 수행할 수 있다. 한
때 나는 서구 사회의 방종에 가까운 자유를 탐닉했었다. 에스와
티니의 모든 것이 답답하게 느껴진 적도 있었다. 내가 유학했던
미국처럼 더 크고 강한 나라에서 태어나기를 바라기도 했다. 그
러나 이젠 아니다. 갈대축제에서 에스와티니의 전통과 그것을
수호하는 가치와 미덕에 대해 설명할 때, 나는 그 모든 것에 대
해 확신을 갖고 말한다. 외국에서 에스와티니를 대표하여 전통

---

37) 시카니소 공주가 자신을 소개하며 말한 것을 들리는 대로 적음

의 중요성을 설파할 때에도 나는 나의 조국이 진심으로 자랑스럽다. 일곱 살 꼬마였을 때부터 많은 사람들을 앞에서 이야기해온 경험은 오늘날 사람들이 나에게서 찬탄하는 카리스마와 자유자재한 언어구사력을 배양했다. 사람들은 나를 경의에 찬 시선으로 바라보지만 나는 나 자신이 무척이나 안타깝다. 폐하의 첫 번째 자식임에도 불구하고 나는 왕이 될 수 없다. 무엇보다 여자라는 이유만으로 나는 왕이 될 가능성을 처음부터 박탈당했다. 훌륭하고 자애로운 어머니 라음비키자 왕비는 '위대한 아내'가 될 가능성이 높지만 그런 영예로운 일이 일어나도 나는 왕위를 계승할 수 없다. 남동생을 사랑하지만 그 아이가 나를 제치고 왕이 된다면 마음이 상할 것이다. 아니! 폐하는 아직도 젊으며 선왕 소부자 2세처럼 장수할 가능성이 매우 높다. 또한 왕위 계승을 위한 '위대한 아내'는 아직 왕실에 들어오지도 않은 먼 훗날 가장 어린 왕비 중에 선택될 가능성을 절대 배제할 수 없다. 나는 공식적으로 폐하를 찬양하는 선봉장이다. 폐하의 죽음을 암시하는 이 일기는 발각되어서는 안 된다. 곧장 소각해야 한다.

영상자료 7

시카니소 공주 전하 - 만세
HRH Princess Sikhanyiso - Hail Your Majesty

II. 그들을 엿보는 우리에 관하여

1. 우리의 생각은 허구일 수 있다

#1. 2019년 아프리카뉴스: 에스와티니, 가짜뉴스에 분노하다

에스와티니 정부는 에스와티니 절대 군주 음스와티 3세가 2019년 6월부터 최소 두 번 이상의 결혼을 하지 않은 남성들을 감옥에 보내도록 명령했다는 잠비아 옵저버Zambian Observer의 보도를 전면 부인했습니다. 잠비아 옵저버가 전한 이 보도는 에스와티니 정부가 일부다처제를 실천하는 남성들의 결혼 예식을 후원하고 집을 제공할 것이라고도 덧붙였습니다. 이후 아프리카의 여러 매체들이 선정적인 보도로 세간의 이목을 끌자 진화에 나선 에스와티니 정부는 이것을 매우 악의적인 가짜뉴스라고 비판했습니다. 정부 대변인은 이것이 에스와티니 문화에 대한 모욕일 뿐만 아니라 저널리즘에 대한 수치라고 일갈하며 기사 철회를 요구했습니다.

만약 우리가 에스와티니 정부의 정정 기사를 접하기 전에 잠비아 옵저버의 기사나 이것을 인용한 다른 아프리카 매체들의 기사를 먼저 접했다면 우리는 "두 번 이상 결혼을 하지 않은 남성들을 감옥에 보낸다"라는 보도 내용을 믿었을까요, 아니면 말도 안 되는 얘기라고 말하며 지나쳐버렸을까요? 아마 말도 안 되는 얘기라고 놀라면서도 충분히 그럴 수 있다고 생각했을 거 같습니다. 어쩌면 에스와티니 정부의 정정 발언을 접한 뒤에도 최초의 보도가 사실인데 악화된 여론에 놀란 에스와티니 정부가 실제 사실을 부인하는 것은 아닐까라고 생각할 수도 있겠죠. 고백하자면, 제가 그랬거든요. 어느 경우가 되었든 사람들이 이 기사를 사실로 믿게 되는 이유는 그 보도 내용의 진원지가 에스와티니라는 매우 낯선 이름을 가진 아프리카의 작은 나라이기 때문일 것입니다. 또한 에스와티니 국왕 음스와티 3세가 이미 세계적으로 악명 높은 독재자의 명단에 올라 있다는 사실도 그 말도 안 되는 내용의 기사가 신빙성을 가질 수 있는 이유 중 하나입니다.

그러나 실상은 '아무도 모른다'입니다. 이 말로서 에스와티니 정부의 분노에 찬 부정을 믿지 않는 게 되어버린다 해도 말이죠. 대개 '사실'은 우리의 판단과 믿음에 의해 결정됩니다. 그러므로 우리가 생각하는 사실 또는 믿는 사실은 '허구'입니다. 이것을 '가짜' 또는 '틀렸다'로 이해하지 말고 '사실과 다를 수 있다'라는 뜻으로 이해해 주세요. 우리가 에스와티니의 왕과 왕실에 대해 갖는 생각, 또는 그곳의 왕비들은 행복하지 않고 서로 사이가 나쁘고 사치스러울 것이라는 일련의 생각들은 사실을 확인할 수 없는, 따라서 사실과 다를 수 있는 허구입니다. 그런데 우리는 쉽게 자신이 알 수 없는 것을 판단하고 평가하고 심지어 조롱합니다. 우리가 갖고 있는 생각이 옳다는 믿음으로 말이죠. 아래 비디오에서는 나이지리아 방송 앵커가 음스와티 3세가 딸보다도 어린 19살의 열다섯 번째 부인을 들인다는 소식과 함께 왕의 사치와 공주의 행보를 엮어 전하며 비아냥거립니다. 백번 앵커의 판단이 옳고 해도 그녀가 보이는 행동이 불쾌하게 느껴지던 찰나 보게 된 댓글 중에 이런 말이 있었습니다.

"모든 이야기에는 양면이 존재한다. 두 양상을 모두 보여주고 판단은 시청자에게 맡겨라."

영상자료 8

스와지 왕 15번째 부인과 결혼하다 - 19살짜리 장난꾸러기 신디
Swazi King Marries 15th Wife: 19-year-old Naughty Sindi!

2. 우리도 그들이 될 수 있다

2021년 음스와티 3세의 일기에 등장한 한국인 기자의 질문이 보여주듯, 저는 다시 태어나는 것에 대해 무척이나 관심이 많습니다. 믿거나 말거나, 다음 생이라는 것이 존재한다면 그것은 우리

가 다른 사람으로 살 수 있는 새로운 기회를 제공하기 때문이죠. 거창하게 다음 생으로 가지 않더라도 우리는 이번 생을 살아가며 정체성의 변화를 여러 번 겪을 수 있습니다. 고교 중퇴생에서 한 나라의 왕비가 되었다가 악의적인 폭로로 다시 고교 중퇴생 출신이라는 낙인이 찍히게 된 여섯 번째 왕비 라마상고처럼 말이죠. 아니, 여기 등장하는 에스와티니 왕실 사람들 모두가 외적으로든 내적으로든, 크던 작던 변화를 겪었습니다. 또한 제가 했던 것처럼 타인의 일기를 마치 자신의 것인 양 써보면서 잠시나마 그 사람의 정체성으로 갈아탈 수도 있습니다. 고집하던 생각을 놓아버리고 다른 생각을 받아들이면 어제와 다른 내가 될 수 있지요. 이렇게 한 생을 살면서도 '마음만 먹으면' 여러 정체성을 경험할 수 있다는 사실은 타인에 대한 우리의 이해의 폭 역시 '마음만 먹으면' 얼마든지 넓어질 수 있다는 가능성을 암시합니다.

아프리카마치가 이번에 선택한 국가 에스와티니는 제게 참으로 힘겨운 도전이었습니다. 아프리카 연구자로서 열린 태도를 견지하기 위해 늘 자신을 단련하건만, 이질적인 것을 넘어 거부감까지 느껴지는 요소들은 저와 이 나라가 가까워지는 것을 막았습니다. 솔직히 말하자면 제가 그 나라와 가까워지기를 거부한 것이 맞겠죠. 이 나라의 유명한 갈대축제에서는 18세 여자 아이들이 갈대를 베어 왕실의 벽을 세우고 춤을 추며 왕에 대한 사랑을 표현한다고 했습니다. 어른들은 상의를 탈의하고 춤을 추는 소녀들의 움직임을 보면서 처녀성을 유지하는지를 확인한다고 했습니다. 왕은 갈대 축제에서 소녀를 간택해 부인의 숫자를 갱신하고, 극도의 빈곤으로 신음하는 국민은 아랑곳하지 않은 채 사치 행각을 이어간다고 했습니다. 오랜 시간 마주하기를 회피하다가 제가 내린 극단의 처방은 기존의 관념으로 이해하기 힘들었던 '그들이 되어보는 것'이었습니다. 그들의 일기를 쓰면서 말이지요.

물론 일기를 쓴다고 해서 '그들이 될 수 있다'고 믿지는 않습니다. 이미 갖고 있는 저의 생각이 일기에 투영되어 또 다른 허구를 만들어낼 수 있다는 사실도 잘 알고 있죠. 그럼에도 이 작업이 의미가 있었던 것은 절대 가까워질 리 없다고 생각했던 것, 가까워지고 싶지 않았던 사람들과 가까워지는 시도를 했기 때문입니다. 그리고 또 하나! 이 작업을 통해 저의 이면에 감춰졌던 검은 속내를 발견했기 때문입니다. 왕실을 비판하는 다큐멘터리에 등장하는 에스와티니 극빈층의 비참한 현실을 보며 분노했지만 '그들이 되는 것'은 왕실 사람들이 되는 것보다 더 하기 싫었습니다. 그들이 되는 시도만으로도 정말 그들이 될까 봐 겁이 났던 거예요. 우리에겐 왕실 사람이 될 확률보다 극빈층이 될 확률이 훨씬 더 높으니까요. 그러므로 극빈층의 비참한 현실에 분노하는 마음이 사실상 위선이라고 해도 부인하지 않겠습니다.

에스와티니 왕실 사람들과 그들을 바라보는 시선을 토대로 그들이 되어보는 과정을 거치면서 저는 에스와티니라는 나라의 일부분을 이해하는 것을 너머 나의 생각이 허구일 수도 있다는 것, 비판적으로 바라봤던 그들의 입장이 되었을 때 나도 '그들과 같을 수 있다'라는 사실을 알게 되었습니다. 그 깨달음이 앞으로 이해하기 힘들다고 느껴지는 타인을 만났을 때 나의 생각만 고집하지 않는 여유로움과 배려로 발현되기를 바랍니다. 흔히들 '인간은 생각하는 존재'라고 하죠. 저는 이 말을 '인간은 생각을 토대로 타인이 될 수 있는 존재'라고 확장하고 싶습니다. 근사하네요! 제가 봐도 멋진 이 말을 할 수 있게 해준 에스와티니에게 고마운 마음을 표하며 이 글을 마칩니다.

제2교시

에스와티니 탐구 영역

성명 [   ]   수험 번호 [| | | | | — | | |]

---

1. '에스와티니의'는 무엇의 이름인가요?

① 사람 이름
② 커피 이름
③ 동물 이름
④ 나라 이름

2. 에스와티니의 실제 정치체제는 무엇인가요?

① 입헌군주제
② 민주주의 형식의 실질적인 독재
③ 민주주의 공화국
④ 전제군주제

3. 다음 중 에스와티에서 개최되는 유명한 축제 이름은 무엇인가요?

① 연어 축제
② 갈대 축제
③ 빙어 축제
④ 눈꽃 조각 축제

4. 에스와티니 및 남아프리카 지역에서 주술사, 치료사의 명칭에 알맞은 것을 고르십시오.

① 무당
② 그리오
③ 젤리
④ 상고마

5. 에스와티니의 지역 이름이 아닌 것은?

① 호호
② 서지니
③ 만지니
④ 루봄보

6. 이 나라는 어느 나라로부터 독립했습니까?

① 프랑스
② 포르투갈
③ 독일
④ 영국

7. 이 나라 정치 대표자의 명칭은 무엇입니까?

① 양부자 1세
② 소부자 2세
③ 땅부자 3세
④ 음스와티 3세

8. 상고마가 할 수 없는 일은 무엇입니까?

① 다 할 수 없다
② 사랑의 묘약 만들기
③ 병원에 데려다 주기
④ 악령 쫓아 주기

에스와티니에 대해서 궁금해요

에스와티니는 어디에 있나요?

에스와티니는 아프리카 대륙의 남쪽에 있습니다. 동·서·남쪽으로는 남아공에 둘러싸여 있고 서쪽으로는 모잠비크에 맞닿은 내륙국이지요. 그래서 바다는 볼 수 없지만 대신 아름다운 산과 유유히 굽이치는 강물, 사바나의 초원에 이르기까지 다양한 자연 풍경을 만끽할 수 있답니다.

국토 면적은 17,365km2입니다. 이렇게 들으면 감이 잘 안 잡히지요? 경기도 면적이 10,171km2이고 서울이 605.2km2이니 얼추 서울과 경기도를 합한 면적보다 살짝 크다고 생각하시면 될 거예요. 면적도 작고 남아공에 둘러싸여 있어서 '남아공의 일부 아니야?'라고 생각하실 수도 있어요. 하지만 분명 고유한 역사와 가치를 지닌 독립 국가가 맞는답니다. 오랫동안 스와질랜드로 불렸기 때문에 새로운 이름 조금 낯설지만, 이 또한 시간이 지나면 익숙해지겠지요!

에스와티니 날씨는 어떤가요?

우선 에스와티니는 남반구에 위치하고 있기 때문에 북반구에 위치한 한국과는 계절이 반대라는 점을 기억해야 합니다. 12월이 여름이고 6월이 겨울이지요. 서쪽의 해발고도 1000~2000m 인근의 고원지대는 연교차가 크지 않아서 연중 10~20도 사이를 오갑니다. 하지만 동쪽의 저지대는 여름에 40도를 웃도는 극심한 무더위가 찾아옵니다. 혹시 고등학생 때 세계지리를 배우신 분이 계시다면 쾨펜-가이거 기후 구분으로도 말씀드릴 수 있을 것 같습니다. 서쪽은 대체로 온대 겨울 건조 기후(Cwa)이며, 동남쪽 일부 지역은 무덥고 건조한 스텝기후(Bsh)랍니다. 대부분의 관광객들은 수도 음바바네 인근의 고원지대만을 방문하기 때문에 가을 날씨 정도로만 생각하고 방문하셔도 큰 무리는 없을 것 같습니다.

에스와티니에 가면 무엇이 있나요?

가장 유명한 축제는 단연코 갈대축제 움흘랑가(Umhlanga)일 것입니다. 움흘랑가는 매년 8월 마지막 주에서 9월 첫째 주 사이에 개최됩니다. 축제는 총 8일간 열리지만 그 중에서도 7일차가 가장 성대하게 춤을 추는 날이니 이날 방문하실 것을 권해드립니다. 움흘랑가가 에스와티니의 전통적인 모습을 볼 수 있는 축제라면 아프리카의 가장 현대적이고 대중적인 음악을 만날 수 있는 부쉬파이어(BushFire) 음악 축제도 있습니다. 매년 5월 말에 개최되며 아프리카 전역의 유명한 음악가들이 한 데 모여 다양한 장르의 음악을 선보이는 축제이지요. 부쉬파이어에서 신나게 춤을 추느라 온 몸이 쑤신다면 에줄위니 밸리(Ezulwini Valley) 인근의 온천 시설을 방문하여 여독을 푸는 것도 추천해드립니다.

아프리카 국가이니만큼 동물 이야기도 빼놓을 수 없겠죠? 음릴와네 자연보호구역(Mlilwane Wildlife Sanctuary)에 가신다면 걸어서 공원 내부를 산책하고 동물들을 관찰하실 수 있습니다. 초식동물들만 있는 곳이니 안심하고 자연 그 자체를 만끽하셔도 좋아요. 얼마 떨어지지 않은 곳에 세계에서 가장 큰 단일 화강암 바위인 시베베 바위도 있답니다. 정상에 한걸음 한걸음 올라

드넓은 풍경을 감상하는 것도 감동적인 순간이 될 겁니다.

에스와티니 사람들의 전통적인 모습이 궁금하시다면 스와지 문화 마을 (Swazi Culture Village)을 둘러보세요. 각종 문화 공연과 전통 가옥 구경은 물론이고 동물 가죽을 직접 벗기고 말려 사용하는 모습도 보실 수 있답니다.

어떻게 가야 하나요?

아쉽게도 한국에서 에스와티니를 곧바로 가는 방법은 아직 없습니다. 카타르의 도하나 싱가포르를 거쳐 남아프리카공화국의 요하네스버그로 우선 가야합니다. 그 곳에서 버스를 타고 수도인 음바바네로 이동해야 합니다. 혹은 에티오피아 아디스아바바를 거쳐 모잠비크의 수도인 마푸투에서 버스를 타고 이동하는 방법도 있습니다. 어떤 경로를 이용하든 비행기를 최소 2-3번은 갈아타고 거기서 또 육로로 이동해야 하니 쉬운 여정은 아닙니다. 하지만 언젠가 조금 더 수월하게 갈 수 있는 날도 올 거라 믿습니다.

비자를 받아야 하나요?

대한민국 여권 소지자는 관광 목적일 경우 60일까지 무비자로 입국하여 체류가 가능합니다. 다만 비자 관련 사항은 언제든 변경될 수 있으니 방문 전 반드시 재확인이 필요합니다.

어떤 돈을 쓰나요?

공식 통화로는 릴랑게니(SZL)가 있습니다. 하지만 남아공의 화폐인 랜드 (ZAR)도 에스와티니에서는 릴랑게니와 1:1의 가치로 통용된답니다. 남아프리카 일대의 국가들에서 남아공 랜드를 쓸 수 있는 경우가 많다는 사실을 기억해두신다면 환전을 여러 번 하지 않아도 되니 편한 여행이 될 겁니다.

어떤 말을 쓰나요?

공식 언어는 두 가지입니다. 하나는 스와지어(Swazi), 하나는 영어입니다. 간혹 시스와티(siSwati)라고 표현한 곳을 보시면 '스와지와 스와티가 다른

가?'하는 의문을 가지실 수도 있어요. 사실 둘은 같은 말입니다. 스와지어로 '스와지어'가 바로 시스와티거든요. 스와지는 영어식 명칭이고요. 그 외에도 공식 언어는 아니지만 줄루어(Zulu)나 포르투갈어도 사용가능한 인구가 있다고 하네요.

어떤 음식이 유명한가요?

시스왈라(Sishwala)라는 요리가 있습니다. 옥수수가루에 소금과 콩을 넣고 되직하게 쑨 죽이지요. 보통은 고기나 야채와 함께 먹습니다. 취향에 따라 발효를 시켜 시큼하게 먹거나 땅콩을 갈아서 고소함을 더하기도 하지요.

교통은 어떤가요?

한국과는 반대로 운전석이 차량의 오른쪽에 위치한 좌측통행입니다. 만지니에 가장 큰 터미널이 있어서 우선은 만지니에 도착한 후에 다른 도시로 이동해야하죠. 봉고차 사이즈의 버스를 아프리카에서는 나라마다 다양한 이름으로 부르는데, 에스와티니에서는 주로 콤비라고 부릅니다. 시내를 돌아다니는 버스는 노선이 대략적으로만 정해져 있어서 요청에 따라 조금 돌아서 가거나 원하는 곳에 세워줍니다. 버스를 타는 것이 너무 막막하다면 숙소에 요청해서 택시를 부를 수도 있습니다. 만약 렌터카를 빌리고자 한다면, 남아공에서 빌려서 스와질랜드로 들어오는 방법이 있는데 서류, 비용, 보험의 압박만 해결한다면 가히 최고의 선택일 것입니다.

참고문헌

너의 이름은? 정체성에 관한 단상

| 문헌자료 및 기사

BBC, "Swaziland king renames country 'the Kingdom of eSwatini'", 19 Apr 2018, https://www.bbc.com/news/world-africa-43821512

Daniel Mumbere, "Swaziland name change to eSwatini is now official", 19 May 2018, africanews. https://www.africanews.com/2018/05/19/swaziland-name-change-to-eSwatini-is-now-official/

DW, "From Swaziland to eSwatini: What's in a name change?", https://www.dw.com/en/from-swaziland-to-eSwatini-whats-in-a-name-change/a-45372631#:~:text=From%20Swaziland%20to%20eSwatini%3A%20What%27s,but%20not%20everyone%20is%20happy.

eSwatini Government official website http://www.gov.sz/

〈그림 1〉 출처. 네이버(Naver) 기사 검색

〈그림 2〉 출처
BBC, "Swaziland king renames country 'the Kingdom of eSwatini'", 19 Apr 2018, https://www.bbc.com/news/world-africa-43821512

〈그림 3〉 출처
Copyright: Mike
https://www.flickr.com/photos/squeakymarmot/130610377

〈그림 4〉 출처
http://www.gov.sz/

어제와 오늘, 일상 속 상고마

| 문헌자료

장용규, 《춤추는 상고마》, 한길사, 2003

Traditional healers of Southern Africa
https://en.wikipedia.org/wiki/Traditional_healers_of_Southern_
Africa#CITEREFTruter2007

장용규. (2000). 줄루 종교 현상의 사회학적 고찰. Asian Journal of African Studies

장용규. (2004). 줄루의례의 상징성과 사회적 의미. 한국아프리카학회지

Sangoma and iNyanga - traditional healers of Swaziland
https://ozoutback.com.au/Swaziland/sangoma/index.html

Witnessing a South African healer at work
https://www.bbc.com/news/world-africa-22306869

The Powerful Spell Caster/Sangoma
https://twitter.com/dembepapa

The new generation of sangomas. mail&guardian.
https://mg.co.za/article/2013-04-05-00-the-new-generation-of-sangomas/
WHO Traditional Medicine Strategy 2014-2023

Country Data Profile on the Pharmaceutical Situation in the Southern African
Development Community (SADC)_SWAZILAND

Legal Status of Traditional Medicine and Complementary/Alternative Medicine:
A Worldwide Review. WHO. 2001

PROGRESS REPORT ON DECADE OF TRADITIONAL MEDICINE IN THE AFRICAN
REGION. WHO. 2011

| 영상자료

9 years sangoma dancing
https://www.youtube.com/watch?v=sihGA8PkpNk

Sangoma
https://www.youtube.com/watch?v=K67asxEjHwc

Sangoma Healing in South Africa
https://www.youtube.com/watch?v=bn-EkHAWp_c

Sangoma graduation (Day 1), Swaziland
https://www.youtube.com/watch?v=o24xQ2iTzOk

Sangoma graduation (Day 2), Swaziland
https://youtu.be/RADMQmeDVnl

My life as a traditional healer in the 21st Century. Amanda Gcabashe.
TEDxJohannesburg
https://youtu.be/TXZlmM-cXZM

| 사진자료

〈그림 1〉출처
https://www.newzimbabwe.com/govt-bans-prophets-sangoma-
advertisements/

〈그림 2〉출처
https://www.heraldlive.co.za/weekend-post/your-weekend/2020-04-18-
traditional-healers-not-sure-if-they-are-essential-service/

〈그림 3〉출처
https://www.fredhutch.org/en/news/center-news/2013/11/healer.html

〈그림 4〉출처
https://www.facebook.com/Love-Potion-Lost-Lover-Bad-Luck-Best-Sangoma-
Spiritual-healing-108786510487334/

<그림 5> 출처
https://www.facebook.com/herbalistpta/

<그림 6> 출처 Sangoma Society (유튜브 채널)
https://www.youtube.com/channel/UCEMTadpCbLux9JFBrUIixcA/videos

21세기의 전제군주 – 역사적 배경과 현재

ㅣ 문헌자료 및 기사

에스와티니의 역사.
https://www.britannica.com/place/eSwatini

Swaziland king renames country 'the Kingdom of eSwatini'
https://www.bbc.com/news/world-africa-43821512

Swaziland: What happens when a country changes its name
https://www.bbc.com/news/world-africa-43831119

아프리카 마지막 절대왕정, 에스와티니
http://www.atlasnews.co.kr/news/articleView.html?idxno=540

swaziland Political Background
https://www.nationsencyclopedia.com/World-Leaders-2003/Swaziland-POLITICAL-BACKGROUND.html

eSwatini Country Report 2020
https://www.bti-project.org/en/reports/country-report-SWZ-2020.html#pos4

Inkhundla
https://en.wikipedia.org/wiki/Inkhundla

eSwatini public servants clash with police in salary protests
https://www.africanews.com/2019/09/25/eSwatini-public-servants-clash-with-police-in-salary-protests/

eSwatini opposition leaders, activists targeted in police raids
https://www.reuters.com/article/us-eSwatini-politics-idUSKBN1YO1TT

〈그림 1〉 출처
https://ko.wikipedia.org/wiki/%EC%97%90%EC%8A%A4%EC%99%80%ED%
8B%B0%EB%8B%88%EC%9D%98_%ED%96%89%EC%A0%95_%EA%B5%A
C%EC%97%AD

〈그림 2〉 출처
https://en.wikipedia.org/wiki/Mswati_III#/media/File:King_Mswati_III_2014.jpg

에스와티니 왕실 사람들과
그들을 엿보는 우리에 관하여

| 문헌자료

eSwatini country profile
https://www.bbc.com/news/world-africa-14095303

Fake news: eSwatini angered by royal order polygamy story
https://www.africanews.com/2019/05/15/fake-news-eSwatini-angered-by-
royal-order-polygamy-story//

Mswati III
https://en.wikipedia.org/wiki/Mswati_III

One of 15 wives of a polygamous African king has 'taken her own life' after
being banned from attending her own sister's funeral
https://www.dailymail.co.uk/news/article-5593557/One-15-wives-polygamous-
king-Swaziland-dead-palace-SHOCK-suicide.html

Schoolgirl's disappearance sparks royal row
https://www.thenewhumanitarian.org/fr/node/203780

Sikhanyiso Dlamini https://en.wikipedia.org/wiki/Sikhanyiso_Dlamini

Succession to the Swazi throne
https://en.wikipedia.org/wiki/Succession_to_the_Swazi_throne

Who are the Queens of Swaziland?
https://thisisafrica.me/lifestyle/queens-swaziland/

10 Monstrous Dictators You've Never Heard Of
https://historycollection.com/10-monstrous-dictators-youve-never-heard/5/

| 영상자료

Buganu Ceremony || Hlane 2019 || eSwatini || Dance by Wife #14 Inkhosikati LaFogiyane
https://www.youtube.com/watch?v=Iu8RcQ4fRiQ&t=208s

Dialogue with His Majesty King Mswati III
https://www.youtube.com/watch?v=fKB5UFNyu9Y

Discover Africa's Largest Land Owner, King Mswati III - Owns About 60% of eSwatini's Land
https://www.youtube.com/watch?v=Corjd08Dnm0&list=PLf81cs1EiY6IW6Wgw8yXl3lzplt64lFCi&index=1

Faces of Africa - Polygamous Love
https://www.youtube.com/watch?v=9hI1RyQe3LE&t=859s

Her Royal Highness Princess Sikhanyiso (edited by myself)
https://www.youtube.com/watch?v=YajeKVC_NdM

HRH Princess Sikhanyiso - Hail Your Majesty
https://www.youtube.com/watch?v=cQ_xJbxOEco

HRH Principal Princess Sikhanyiso Chief Maiden Solo Dance, Nhlangano
https://www.youtube.com/watch?v=7_VTXxj31ok

King Sobhuza-Father of King Mswati - Swaziland
https://www.youtube.com/watch?v=6IWwwAAv9-Q&list=PLf81cs1EiY6IW6Wg

w8yXl3lzplt64lFCi&index=9

Swazi King Marries 15th Wife: 19-year-old Naughty Sindi!
https://www.youtube.com/watch?v=jCijvFXnSpA&list=PLf81cs1EiY6IW6Wgw8y
Xl3lzplt64lFCi&index=5

Swazi Royal Family Tree
https://www.youtube.com/watch?v=b7Ev6i3wXLA&list=PLf81cs1EiY6IW6Wgw8
yXl3lzplt64lFCi&index=7

Swaziland's tradition of polygamy
https://www.youtube.com/watch?v=7Y1UtENipHY

Swaziland votes in 'monarchical democracy'
https://www.youtube.com/watch?v=y-kE9fMz3sM

The beauty Queen of Swaziland is talking about polygamy
https://www.youtube.com/watch?v=RzfUxF4f7vI&list=PLf81cs1EiY6IW6Wgw8y
Xl3lzplt64lFCi&index=6

The King of Swaziland about polygamy
https://www.youtube.com/watch?v=_E451KDFRqQ&feature
=youtu.be

Without The King Swaziland
https://www.youtube.com/watch?v=aX8QgaLbYsw

12th Wife of King Mswati Dies
https://www.youtube.com/watch?v=7127wQGlEao

〈그림 1〉 출처
https://www.pinterest.co.kr/pin/400116748130228145/

〈그림 2〉 출처
https://www.lindaikejisblog.com/2018/4/swazilands-king-mswatis-8th-
stunning-wife-commits-suicide.html

에스와티니,
우리가 모르는 아프리카

종이책 초판 발행일 2021년 8월 15일
전자책 초판 발행일 2021년 8월 15일

지은이 김심심, Sarajevo, 조주, 이현, 마치
기획 이현
윤문 마치
디자인 여YEO디자인
책임편집 Africa March
펴낸이 김호빈
펴낸곳 5111솔 www.sol5111.page
이메일 africa_march@sol5111.page

ISBN 979-11-970099-2-1 (03930)